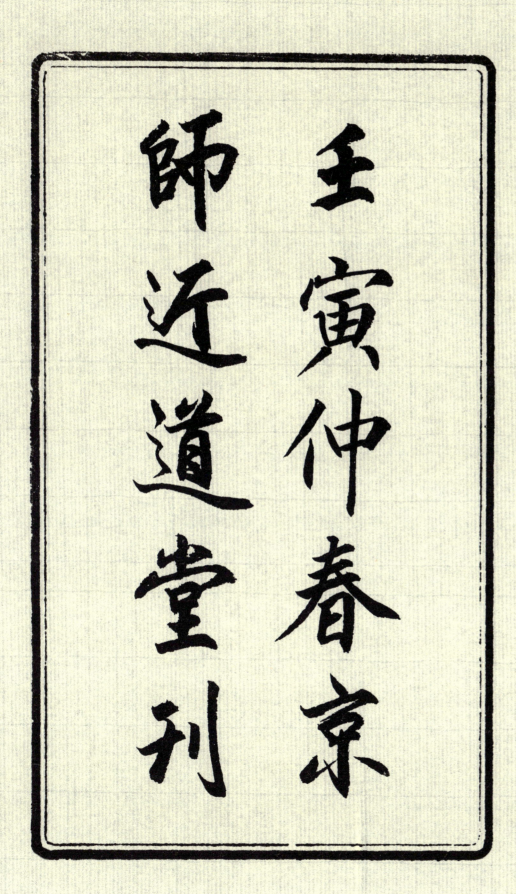

書香傳家

毛佩琦書

壬寅仲春京師近道堂刊

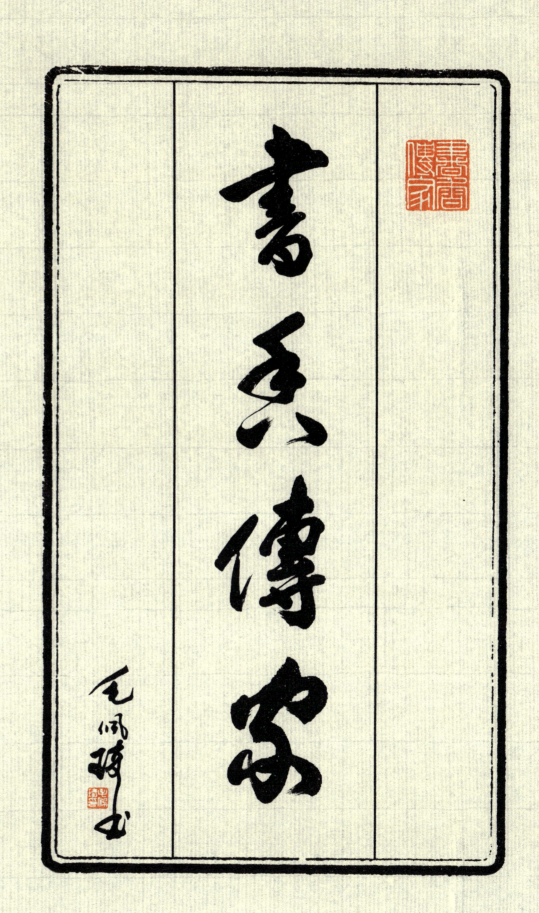

小窗幽記

第一冊

〔明〕陳繼儒 著
崇賢書院 釋譯

北京聯合出版公司

前言

中國是文明古國、禮儀之邦，幾千年來的文化傳統尤其強調個人修爲。「一失腳爲千古恨，再回頭是百年人」「志要高華，趣要淡泊」「透得名利關，方是小休歇；透得生死關，方是大休歇」。此類勸世良言一再出現於文化長河中，反覆回旋。但甚少有人知道它們的來處——《小窗幽記》。《小窗幽記》是爲人處世的不二秘籍，「中國人修身養性」的必讀之書。其作者陳繼儒也被認爲是能夠悟透生死關、看破名利場的智者。

其實，陳繼儒不僅僅是智者，也是避世方外的率性坦蕩眞君子。二十歲時便遠離塵世，在山明水秀中陶冶心性，享受自然之趣。《小窗幽記》就是他對天地萬物的深切感悟，對君子存世的澄明心得。全書以「醒」字開篇，用清言箴語給世人以警醒；繼而以「情、峭、靈、素、景、韻、奇、綺、豪、法、倩」這十一字爲綱，將大千世界納入眼底，探究生命的深層意蘊。君子處世須時時警醒，提高自身修爲，也不妨信步漫遊，盡享天地之清冷。書中文字或狂放恣肆，或恬淡清新，字字珠璣，閃爍出智慧與靈秀的光芒。翻開書卷，一股甘冽撲面而來，各種飽含自然理趣的文句如對月抒懷，亦如與長者傾心交談，讓人不覺便消去濁氣，化開戾氣，在清言中沉靜下來。

眼下塵世紛擾煩亂，熙熙攘攘，不少人在此中茫然無助或者迷失本性，不知何去何從。其實，衹要心境澄澈，自然可以守住眞元，明了去向。而《小窗幽記》這本靈慧豁達的智慧之書，正可以助我們於細微怡情之處，悟透世間眞諦。此外，文中的出世言論，也爲學者青睞，被引作雅士的人生理想。周作人對《小窗幽記》中所描繪的烹茶煮茗，幽然獨坐，聽徐徐清風，看竹影疏搖的情景神往不已。林語堂更是手不釋卷，津津樂道，並從中汲取靈感，創作出轟動世界的《生活的藝術》。

於是，我們迫不及待地想將這本奇書推薦給廣大讀者。書香傳家系列之《小窗幽記》，繼承古代傳統工藝，對接歷代版刻精華，采用宣紙印裝形式，原文字體選用清乾隆武英殿版刻書字體，以其獨特藝術性和收藏性，鶴立於信息泛濫時代。本書由畫家、版刻學家孫世良先生親自指導設計，其審美表現氣象非凡、自成一格。書籍整體裝幀選用明代綫裝書形式，同時融入現代設計元素，古樸典雅中有當代審美氣息。每個時代必有自己的經典與審美的呈現，近道堂「書香傳家系列」，集當代學者和藝術家的思想和創意之精華，致力於打造當代經典的珍稀版本，使其傳之後世。

近道堂

辛丑季冬記於京師

目錄

醒

原文 **食中山之酒，一醉千日。今世之昏昏逐逐，無一日不醉，無一人不醉。趨名者醉於朝，趨利者醉於野，豪者醉於聲色車馬，而天下竟爲昏迷不醒之天下矣。安得一服清涼散，人人解醒？集醒第一。**

譯文 飲了中山人狄希釀造的酒，可以一醉千日。而今日世人迷於俗情世務，終日追逐聲色名利，可說沒有一日不在醉鄉，沒有一個人不沉迷於醉鄉。好名的人醉於朝廷官位，好利的人醉於民間財富，豪富的人則醉於妙聲、美色、高車、名馬，而天下竟然成了昏迷不醒的天下。如何纔能獲得一劑清涼的藥，使人人服下獲得清醒呢？因此編撰了第一卷《醒》。

原文 **怪小人之顛倒豪傑，不知慣顛倒方爲小人；惜吾輩之受世折磨，不知惟折磨乃見吾輩。**

譯文 責怪那些小人顛倒是非，陷害豪傑，卻不知道衹有習慣幹這些事的人纔能稱爲小人；憐惜我的同類人受到世間的折磨，卻不知道衹有經歷了折磨纔能看到同類人的英雄本色。

原文 **花繁柳密處，撥得開，纔是手段；風狂雨急時，立得定，方見腳跟。**

譯文 一個人如果能免除受到繁華遊樂之地的誘惑，來去自如，纔是身手不凡的人；在遇挫折潦倒的時候能站穩腳跟，而不被吹倒，纔是真正有原則的人。

原文 **澹泊之守，須從濃豔場中試來；鎮定之操，還向紛紜境上勘過。**

譯文 淡泊清靜的操守，必須在聲色富貴的場合中考驗出來，纔是真操守；鎮靜安定的志節，要在紛紛擾擾的鬧境中考驗過，纔是真功夫。

原文 **市恩不如報德之爲厚，要譽不如逃名之爲適，矯情不如直節之爲真。**

譯文 購買恩惠，不如報答他人的恩德來得厚道。邀取好的名聲，不如逃避名聲來得自適。故意違背常情以自命清高，不如坦直地做人來得真實。

原文 **攻人之惡毋太嚴，要思其堪受；教人以善莫過高，當原其可從。**

譯文 攻擊別人的醜惡不要過於嚴厲，要考慮他是否能夠忍受；教導別人要與人爲善，要求不要過高，應當體諒他是否能夠遵從。

原文 **不近人情，舉世皆畏途；不察物情，一生俱夢境。**

譯文 做人不近人情，就會認爲普天之下都是畏途；做事不能洞察人間百態、體悟道理，那麼一生都將生活在夢境之中。

原文 **遇嘿嘿不語之士，切莫輸心；見悻悻自好之徒，應須防口。**

譯文 碰到沉默不語的人，千萬不要輕易與之交心；見到剛愎傲慢又自戀之人，應該提防自己批評他。

原文 **結纓整冠之態，勿以施之焦頭爛額之時；繩趨尺步之規，勿以用之救死扶傷之日。**

譯文 繫好帽帶、端正帽子這樣從容的儀態，不要用在焦頭爛額那種窘迫的時候；循規蹈矩的標準，不要用在救死扶傷那樣的緊急時候。

原文 **藏巧於拙，用晦而明；寓清於濁，以屈爲伸。**

譯文 把智巧隱藏在笨拙之中，表面晦暗而內心卻很明白；把清潔隱寓在混濁之中，在逆境中忍受委曲，也能在順境中施展抱負。

原文 **彼無望德，此無示恩，窮交所以能長；望不勝奢，欲不勝饜，利交所以必忤。**

譯文 那個人並不期望得到什麼利益，這個人也不會故示恩惠，這是患難之交能長久的原因；期待別人的恩惠沒有止境，欲望又永遠無法滿足，這是利益相交必然會反目的理由。

原文 **天薄我福，吾厚吾德以迓之；天勞我形，吾逸吾心以補之；天阨我遇，吾亨吾道以通之。**

譯文 命運使我的福分淡薄，我便增加我的品德來面對它；命運使我的形體勞苦，我便安樂我的心來彌補它；命運使我的際遇困窘，我便擴充我的道德使它通達。

原文 **淡泊之士，必爲穠豔者所疑；檢飭之人，必爲放肆者所忌。**

譯文 恬靜寡欲的人，必定爲豪華奢侈的人所懷疑；謹慎而檢點的人，必定被行爲放肆的人所忌恨。

原文 **事窮勢蹙之人，當原其初心；功成行滿之士，要觀其末路。**

譯文 一個人到了窮途末路，我們應看他當初的本心如何；對於功成行就的人，我們要看他晚年怎麼樣。

原文 好醜心太明，則物不契；賢愚心太明，則人不親。須是內精明，而外渾厚，使好醜兩得其平，賢愚共受其益，纔是生成的德量。

譯文 分別善惡的心太過明確，則無法與事物相契合；分別賢愚的心太過清楚，則無法與人相親近。內心應該精明，而外表卻要仁厚，使善惡兩方都能得到平等，賢愚都能受到益處，這纔是上天生育我們的道德修養和氣量。

原文 好辯以招尤，不若訒默以怡性；廣交以延譽，不若索居以自全；厚費以多營，不若省事以守儉；逞能以受妒，不若韜精以示拙。費千金而結納賢豪，孰若傾半瓢之粟以濟飢餓？構千楹而招徠賓客，孰若葺數椽之茅以庇孤寒？

譯文 喜好爭辯就容易招來指責，不如少說話或謹慎說話以養性；廣爲結交以傳揚聲譽，不如離群索居以求自保；大費資財以多處經營，不如省事以保持節儉；逞能遭受妒忌，不如韜光養晦而展現出愚鈍的一面。耗費千金而廣結天下豪傑，哪裏比得上拿出半瓢的米粟去接濟飢餓的人呢？建築千間屋舍以招攬天下賓客，哪裏比得上修補衹有幾根椽的茅舍來庇護孤

苦貧寒的人呢？

原文 **恩不論多寡，當厄的壺漿，得死力之酬；怨不在淺深，傷心的杯羹，召亡國之禍。**

譯文 恩惠不分多少，當別人身處困厄之時，你給人一壺漿飯，日後能得到以死相救的回報；怨恨不在於深淺，哪怕是使人傷心的一杯黿羹，也能招致亡國的禍患。

原文 **仕途雖赫奕，常思林下的風味，則權勢之念自輕；世途雖紛華，常思泉下的光景，則利欲之心自淡。**

譯文 仕途雖然追求顯赫、盛大，但經常想想隱居山中的情趣，那麼追逐權勢的心思自然會變輕；世途雖然很繁華，但經常想想死後黃泉之下的情形，那麼利欲之心自然會變淡。

原文 **了心自了事，猶根拔而草不生；逃世不逃名，似膻存而蚋還集。**

譯文 能了斷心中的欲念，自然就沒事了，就好像把根拔掉了，草就不會再生長一樣；雖然逃離塵世，隱居山林，但是，內心仍對名聲念念不忘，就好像沒有將腥膻的氣味完全除去，還是會招惹蚊蟲一樣。

原文 **情最難久，故多情人必至寡情；性自有常，故任性人終不失性。**

譯文 情愛最難保持長久，所以情感豐富的人終會變得淺薄無情；人的本性有其常道，所以聽任本性行事的人終不會失去其自然秉性。

原文 **才子安心草舍者，足登玉堂；佳人適意蓬門者，堪貯金屋。**

譯文 有才能的讀書人，若能安居在茅草搭成的屋子中，那麼，他的才德就足以擔任朝廷的官職；美麗的女子能不嫌貧愛富，肯嫁到貧家的，那麼，她就值得他人爲她建造金屋。

原文 **喜傳語者，不可與語；好議事者，不可圖事。**

譯文 喜歡傳播流言的人，最好少和他講話；喜歡誇誇其談的人，不要和他一起圖謀事情。

原文 **甘人之語，多不論其是非；激人之語，多不顧其利害。**

譯文 甜言蜜語，多半不分是非清白；刺激人的話語，大多不顧及利害得失。

原文 **伏久者，飛必高；開先者，謝獨早。**

譯文 伏身很久而不飛的鳥，一定能飛得很高；最先開放的花，往往也會很快凋謝。

原文 **貪得者，身富而心貧；知足者，身貧而心富；居高者，形逸而神勞；處下者，形勞而神逸。**

譯文 貪得無厭的人，也許生活富足，但心靈卻很貧窮；知道滿足的人，也許生活貧困，但是內心卻很富有；處於高位的人，身體很安逸，但精神卻很勞累；地位低下的人，身體很勞累，但精神卻很閑逸。

原文 **局量寬大，即住三家村裏，光景不拘；智識卑微，縱居五都市中，神情亦促。**

譯文 氣量寬廣的人，即使是住在荒蕪偏僻的村落，也不會局限了眼界；才識低下、沒有眼界的人，縱使是住在繁華興盛的都市，神情依然會很局促。

原文 **惜寸陰者，乃有淩鑠千古之志；憐微才者，乃有馳驅豪傑之心。**

譯文 衹有珍惜每一寸光陰的人，纔會具有超越千古的淩雲壯志；衹有憐惜微不足道的才能的人，纔能有驅使天下豪傑的心。

原文 **天欲禍人，必先以微福驕之，要看他會受；天欲福人，必先以微禍儆之，要看他會救。**

譯文 天要降禍給一個人，必定先降下一些福分，使他起驕慢之心，目的要看他是否懂得承受的道理；天要降福給一個人，必定先降下一些禍事，使他警覺，主要是看他有無自救的本領。

原文 **書畫受俗子品題，三生浩劫；鼎彝與市人賞鑒，千古異冤。**

譯文 名貴的書畫受到凡夫俗子的品評，這是三生的災難；珍貴的鼎彝讓市井淺薄之人鑒賞，這是千古奇冤。

原文 **脫穎之才，處囊而後見；絕塵之足，歷塊以方知。**

譯文 才能出衆的人，就像錐子，衹有處在布袋之中，其鋒芒纔能顯露出來；速度超常的良馬，衹有迅速地奔跑過之後纔能爲人知曉。

原文 **結想奢華，則所見轉多冷淡；冥心清素，則所涉都厭塵氛。**

譯文 念念不忘奢侈豪華，那麼所見到的都會變得冷淡；泯滅俗念，使心境寧靜，安於清貧，那麼所經歷的都會厭惡世俗的氛圍。

原文 **多情者，不可與定妍媸；多誼者，不可與定取與；多氣者，不可與定雌雄；多興者，不可與定去住。**

譯文 多情的人，不能與他定美醜；注重友情的人，不能和他論索取和給予；意氣用事的人，不能和他決雌雄，比高下；興趣廣泛的人，不能與他決定去留。

原文 **世人破綻處，多從周旋處見；指摘處，多從愛護處見；艱難處，多從貪戀處見。**

譯文 世人在行爲上的過失，多發生在與人交際應酬時；指責對方，是出於愛護的緣故；而會覺得放不下，則是貪愛留戀造成的。

原文 **凡情留不盡之意，則味深；凡興留不盡之意，則趣多。**

譯文 一般來說，倘若不將情意全部表達，留有餘地，那麼回味更深；倘若不將興致用盡，留有餘地，那麼樂趣更多。

原文 **待富貴人，不難有禮，而難有體；待貧賤人，不難有恩，而難有禮。**

譯文 對待富貴之人，做到有禮並不難，可是要想做到得體實在是太難了；對待貧賤之人，想要有恩於他並不難，可是要做到有禮就太難了。

原文 **山棲是勝事，稍一縈戀，則亦市朝；書畫賞鑒是雅事，稍一貪癡，則亦商賈；詩酒是樂事，稍一徇人，則亦地獄；好客是豁達事，稍一爲俗子所撓，則亦苦海。**

譯文 山居本是愉快的事，如果起了貪戀，與俗世沒有不同；愛好書畫是高雅的行爲，但過於無厭，則跟商人並無二致；作詩飲酒原是樂事，若是屈從他人，敷衍應付，則如同地獄；好客交友本是令人心胸舒暢之事，一旦成了俗人喧鬧的場所，亦成了苦海。

原文 **多讀兩句書，少說一句話；讀得兩行書，說得幾句話。**

譯文 應該多讀些書，少說些話；衹有多讀些書，纔能說好一些話。

原文 **看中人，在大處不走作；看豪傑，在小處不滲漏。**

譯文 觀察那些才智一般的人，要看他在大處是不是不逾越規矩；觀察豪傑之士，要看他在小處是不是沒有紕漏。

原文 **留七分正經，以度生；留三分癡呆，以防死。**

譯文 做人要留有七分正派以安度這一生；要留有三分癡呆以提防不測

之禍。

原文 **輕財足以聚人，律己足以服人，量寬足以得人，身先足以率人。**

譯文 仗義疏財可以集聚衆人，約束自己可以使衆人信服，放寬肚量便會得到他人的幫助，凡事率先去做則可以領導他人。

原文 **從極迷處識迷，則到處醒；將難放懷一放，則萬境寬。**

譯文 在最易令人迷惑的地方識破迷惑，那麽無處不是清醒的狀態；將最難以放下心懷的事放下，那麽到處都是寬廣的境界。

原文 **大事難事，看擔當；逆境順境，看襟度；臨喜臨怒，看涵養；群行群止，看識見。**

譯文 逢到大事和困難的時候，可以看出一個人擔負責任的勇氣；遇到逆境和順境的時候，可以看出一個人的胸襟和氣度；逢到喜怒的事時，可以看出一個人的涵養；與衆人同行同止時，可以看出一個人對事物的見解和認識。

原文 **安詳是處事第一法，謙退是保身第一法，涵容是處人第一法，灑脫是養心第一法。**

譯文 沉穩是處理事情的第一法則，謙讓是保身的第一法則，包涵寬容是與人相處的第一法則，瀟灑不羈是修身養性的第一法則。

原文 **處事最當熟思緩處。熟思則得其情，緩處則得其當。必能忍人不能忍之觸忤，斯能爲人不能爲之事功。**

譯文 做事情一定要思慮周到，慢慢做。思慮周到可以得知一件事的詳情，慢慢做可以做得恰如其分。就一定能忍受常人不能忍受的冒犯，建立常人做不到的功業。

原文 **輕與必濫取，易信必易疑。**

譯文 輕易地給予必然也會過分地索取，輕易就相信別人必定也會輕易就懷疑別人。

原文 **積丘山之善，尚未爲君子；貪絲毫之利，便陷於小人。**

譯文 做的好事積累起來比山還要高，尚且不能成爲君子；貪圖絲毫利益，就會成爲小人。

原文 **智者不與命鬥，不與法鬥，不與理鬥，不與勢鬥。**

譯文 智慧之人不與命運相鬥，不與法律相鬥，不與道理相鬥，不與時勢相鬥。

原文 **良心在夜氣清明之候，真情在簞食豆羹之間。故以我索人，不如使人自反；以我攻人，不如使人自露。**

譯文 在夜色澄淨、心境平和的時候，容易看出一個人的眞心，而眞實的情感在簡單的飲食生活中，最容易流露出來。因此與其不斷去要求人家，不如使其自我反省；與其攻擊他人的弱點，不如使其自我坦白錯誤。

原文 **俠之一字，昔以之加義氣，今以之加揮霍，衹在氣魄氣骨之分。**

譯文 「俠」這個字，以前總是和義氣連在一起，如今卻和揮霍聯繫在一起，它們之間衹有氣魄與氣骨的差別。

原文 **不耕而食，不織而衣，搖唇鼓舌，妄生是非，故知無事之人好爲生事。**

譯文 不耕種就有東西吃，不紡織就有衣服穿，衹耍耍嘴皮子，虛妄之中便生出事端，因此知道無事可做的閑人喜歡製造事端。

原文 **才人經世，能人取世，曉人逢世，名人垂世，高人出世，達人玩世。**

譯文 有才能的人治理世事，聰明能幹的人在世間有所獲取，明白事理的人洞察時勢，有好名聲的人流傳後世，高人脫離塵世，豁達之人娛樂人世。

原文 **寧爲隨世之庸愚，勿爲欺世之豪傑。**

譯文 寧可做一個順應世人、平庸愚笨的人，也不要做一個欺騙世人、才智高超的人。

原文 **沾泥帶水之累，病根在一「戀」字；隨方逐圓之妙，便宜在一「耐」字。**

譯文 做事拖泥帶水、拖拖拉拉，其病根就在於一個「戀」字；做事圓滑、隨方逐圓，其訣竅就在於一個「耐」字。

原文 **天下無不好諛之人，故諂之術不窮；世間盡是善毀之輩，故讒之路難塞。**

譯文 天下沒有不喜歡聽別人阿諛逢迎的人，因此諂媚之術就沒有窮盡過；人世間都是善於詆毀別人的人，所以讒言之路很難被堵塞。

原文 **進善言，受善言，如兩來船，則相接耳。**

譯文 進諫好的建議，接受好的建議，就如同是兩條相向而行的船，會連接在一起。

原文 **清福上帝所吝，而習忙可以銷福；清名上帝所忌，而得謗可以銷名。**

譯文 清閑安逸的福氣是上天所吝惜給予的，如果使自己習慣於忙碌，則可以減少這種福分；美好的名聲是上天所禁忌的，如果受到他人的毀謗，則可以減輕由名聲所帶來的負累。

原文 **造謗者甚忙，受謗者甚閑。**

譯文 造謠誹謗別人的人十分忙碌，受到詆毀的人十分清閑。

原文 **蒲柳之姿，望秋而零；松柏之質，經霜彌茂。**

譯文 蒲柳的英姿，秋天還沒有真正到來就已經凋零了；松柏的氣質，飽經風霜卻越發的豐茂。

原文 **人之嗜名節，嗜文章，嗜遊俠，如好酒然。易動客氣，當以德性消之。**

譯文 人們愛好聲名氣節，愛好文章辭藻，愛好行俠仗義，就像喜好喝酒一般。容易一時興起，應該用道德修養來改變它。

原文 **好談閨閫，及好譏諷者，必爲鬼神所怒，非有奇禍，則必有奇窮。**

譯文 喜歡談論閨閣之事，以及喜歡譏諷別人的人，必定會觸怒鬼神，即使沒有遭受重大的禍患，也必定會極其貧困。

原文 **神人之言微，聖人之言簡，賢人之言明，衆人之言多，小人之言妄。**

譯文 神人說話極其精微，聖人說話十分簡潔，賢德之人說話很明曉，普通衆人說話很多，小人說話很虛妄。

原文 **士君子不能陶鎔人，畢竟學問中工力未透。**

譯文 品德高尚的君子倘若不能熏陶、感化別人，那就是治學的工夫下得還不夠。

原文 **有一言而傷天地之和，一事而折終身之福者，切須檢點。能受善言，如市人求利，寸積銖累，自成富翁。**

譯文　因爲一句話也許就破壞了天地之間的和諧，因爲一件事也許就喪失了一生的幸福，所以人們必須多多檢點自己。能夠聽取別人有益的建議，就好像商人們追求利益一樣，一點一滴地積攢，最終自然會成爲富翁。

原文　**金帛多，秖是博得垂死時子孫眼淚少，不知其他，知有爭而已；金帛少，秖是博得垂死時子孫眼淚多，亦不知其他，知有哀而已。**

譯文　掙下的家業大，秖是換來臨死時子孫們一點眼淚，什麽都不知道，秖知道爭奪家產而已；掙下的家業小，秖是換來臨死時子孫們很多眼淚，也什麽都不知道，秖知道傷心而已。

原文　**景不和，無以破昏蒙之氣；地不和，無以壯光華之色。**

譯文　景色不和諧，就無法破除昏暗隱晦之氣；大地不和諧，就無法增添錦綉之色。

原文　**一念之善，吉神隨之；一念之惡，厲鬼隨之。知此可以役使鬼神。**

譯文　一個善的念頭，可以獲得降福的吉神呵護；而一個惡的念頭，就會招來爲禍作災的惡鬼。明白這一點便可以差使鬼神了。

原文　**出一個喪元氣進士，不若出一個積陰德平民。**

譯文　與其出一個沒有品德精神的進士，還不如出一個暗地裏施恩於別人的普通百姓。

原文　**眉睫纔交，夢裏便不能張主；眼光落地，泉下又安得分明？**

譯文　雙眼閉上，在夢裏便不能自作主張；眼光落到地下，想到夢中都不能自主，死後又怎能了了分明呢？

原文　**佛祇是個了，仙也是個了，聖人了了不知了。不知了了是了了，若知了了便不了。**

譯文　佛祇是了悟了，仙也祇是了悟了，聖人明白沒有明白。不知道得太明白就是明白，如果知道得太明白就是不明白。

原文　**萬事不如杯在手，一年幾見月當空？**

譯文　什麽事都比不上酒杯在手的歡暢，一年之中能有幾次看到明月當空？

原文　**憂疑杯底弓蛇，雙眉且展；得失夢中蕉鹿，兩腳空忙。**

譯文　憂慮猜疑就像是杯底的弓影一樣，使人心生疑慮而病倒，不如拋開憂慮，舒展眉宇；得失無常就好像是夢中蓋着芭蕉葉的鹿一樣，兩隻腳白忙活了。

原文 **名茶美酒，自有真味。好事者投香物佐之，反以爲佳，此與高人韻士誤墮塵網中何異？**

譯文 名貴的茶葉、醇美的濃酒，自有它的眞味。好事的人把一些香料放進去添加些味道，破壞了原本的清醇，卻反而認爲這樣很好，這和那些高人雅士誤入到世俗生活之中又有什麼差別呢？

原文 **花棚石磴，小坐微醺。歌欲獨，尤欲細；茗欲頻，尤欲苦。**

譯文 在美麗的花棚下，坐在清涼的石磴上，稍稍有些陶醉。突然想要獨自唱歌，歌聲要尤爲細膩；茗茶要頻繁地添加，茶水要苦。

原文 **善默即是能語，用晦即是處明，混俗即是藏身，安心即是適境。**

譯文 善於沉默就是能言善語，韜光養晦就是保身之法，混入世俗就是藏身之所，心靈平靜就是適應處境。

原文 **雖無泉石膏肓，煙霞痼疾，要識山中宰相、天際真人。**

山中宰相陶弘景

譯文 雖然沒有沉迷於泉石、煙霞的癖好，但也要辨識山中的高士、隱居天涯的眞人。

原文 **氣收自覺怒平，神斂自覺言簡，容人自覺味和，守靜自覺天寧。**

譯文 收斂氣息自然會覺得憤怒平息了一些，斂聚精神自然會覺得語言簡練了一些，寬容別人自然會覺得氛圍和睦，心神保持寧靜自然會覺得天下安寧。

原文 **處事不可不斬截，存心不可不寬舒，待己不可不嚴明，與人不可不和氣。**

譯文 處理事情不能不果斷，存心不能不寬廣、舒緩，要求自己不能不嚴格，與人相處不能不和睦。

原文 **居不必無惡鄰，會不必無損友，惟在自持者兩得之。**

譯文 選擇住家不一定要避開壞鄰居，聚會也不一定要除去有害的朋友。如果自己能夠把持，那麼即使是惡鄰和損友，也一樣可以兼顧。

原文 **要知自家是君子小人，衹於五更頭檢點，思想的是什麼便見得。**

譯文 要知道自己是有道德的君子，還是沒有品德的小人，衹要在天將明時自我反省一下，看看自己所思所想的到底是什麼，就十分明白了。

原文 **以理聽言，則中有主；以道窒欲，則心自清。**

譯文 以理智來判斷所聽到的言語，則心中自有主張；以品德的修養來摒絕私欲，則心境自然清明。

原文 **先淡後濃，先疏後親，先遠後近，交友道也。**

譯文 先淡薄後濃郁，先疏遠後親近，先遠知後近交，這是交朋友的方法。

原文 **苦惱世上，意氣須溫；嗜欲場中，肝腸欲冷。**

譯文 在充滿煩惱的人世間，不可心灰意冷；在充滿嗜好和欲望的場所，要保持冷淡。

原文 **形骸非親，何況形骸外之長物？大地亦幻，何況大地內之微塵？**

譯文 身體軀殼不值得親近，何況是身體之外帶不走的東西？山河大地不過是個幻影，何況在大地上如同微塵的我們呢？

原文 **人當溷擾，則心中之境界何堪；人遇清寧，則眼前之氣象自別。**

譯文 人碰到混亂的局面，內心可怎麼能承受啊；而遇到清淨安寧的局面，那麼眼前的景象自然會有很大差別。

原文 **寂而常惺，寂寂之境不擾；惺而常寂，惺惺之念不馳。**

譯文 在寂靜的狀態當中，要常保持覺醒，但以不擾亂寂靜的心境為先；在覺醒的狀態當中，也要常保持寂靜，使得心念不至於奔馳而收束不住。

原文 **童子智少，愈少而愈完；成人智多，愈多而愈散。**

譯文 孩童的智識並不多，但是其智識愈少，智能卻愈完整；成人的智識多，但智慧卻分散而不完整。

原文 **筆之用以月計，墨之用以歲計，硯之用以世計。筆最銳，墨次之，硯鈍者也。豈非鈍者壽，而銳者夭耶？筆最動，墨次之，硯靜者也。豈非靜者壽，而動者夭乎？於是得養生焉。以鈍為體，以靜為用，惟其然是以能永年。**

譯文 筆使用的時間要用月來計算，墨使用的時間要以年來計算，硯使用的時間要以世來計算。毛筆最為鋒銳，墨次之，硯是最不鋒利的。這難道不是不鋒銳的長壽，而鋒銳的夭折嗎？筆動得最為厲害，墨次之，而硯是靜止的。這難道不是靜止的長壽，而運動的壽命短嗎？因此知道了養生的道理。要以駑鈍為體，以靜為用，衹有如此纔能長壽。

原文 **貧賤之人，一無所有，及臨命終時，脫一「厭」字；富貴之人，無所不有，及臨命終時，帶一「戀」字。脫一「厭」字，如釋重負；帶一「戀」字，如擔枷鎖。**

譯文 貧窮低賤的人，什麼都沒有，到將要死去時，因為對貧賤的厭倦而得到一種解脫感；富有高貴的人，什麼都不缺少，到將要死去時，卻因對名利的迷戀而牽連不捨。因厭倦而解脫的人，死亡對他們而言好像放下重擔般輕鬆；因眷戀而不捨的人，死亡對他們而言就如同戴上了刑具般沉重。

原文 **透得名利關，方是小休歇；透得生死關，方是大休歇。**

譯文 看得透名利這一關，纔是小解脫；看得透生死的界限，纔是大解脫。

原文 **人欲求道，須於功名上鬧。一鬧方心死，此是真實語。**

譯文 人想要求仙得道，必須在功名利祿中折騰。折騰一番之後纔會死心，這是實話。

原文 **病至，然後知無病之快；事來，然後知無事之樂。故御病不如卻病，完事不如省事。**

譯文 病來了，纔知道沒有病是多麼痛快的事情；事情來了，纔知道沒有事情是多麼快樂的事情。因此治愈疾病不如預防疾病，使事情完好不如省去事情。

原文 **諱貧者，死於貧，勝心使之也；諱病者，死於病，畏心蔽之也；諱愚者，死於愚，癡心覆之也。**

譯文 忌諱貧窮的人，最終死於貧困，這是好勝心使他這樣的；忌諱生病的人，最終死於疾病，這是被畏懼蒙蔽的結果；忌諱愚鈍的人，最終死於愚鈍，這是掩蓋癡愚的結果。

原文 **古之人，如陳玉石於市肆，瑕瑜不掩；今之人，如貨古玩於時賈，真僞難知。**

譯文 古代的人，就好像陳列在市場店鋪之中的玉石，無論過失或美德都不加以掩飾；現代的人，就如同向當代商人購買古玩一樣，是眞是假很難知道。

原文 **士大夫損德處，多由立名心太急。**

譯文 士大夫有損德行的地方，往往是由於立名的心太急切了。

原文 **多躁者，必無沉潛之識；多畏者，必無卓越之見；多欲者，必無慷慨之節；多言者，必無篤實之心；多勇者，必無文學之雅。**

譯文 心地浮躁的人，對事情一定沒有深刻的見解；膽怯的人，一定沒有超越一般的見解；嗜欲太重的人，必然不能有意氣激昂的志節；多話的人，一定沒有純厚樸實之心；勇武過盛的人，往往沒有文學的風雅。

原文 **剖去胸中荆棘，以便人我往來，是天下第一快活世界。**

譯文 將心中自傷、傷人的棘刺除去，打開平易的心胸去和人交往，是天下最令人舒暢歡喜的事情。

原文 **古來大聖大賢，寸針相對；世上閑言閑語，一筆勾銷。**

譯文 自古以來的大聖大賢之人，每分每寸我們都要與之對照，向其看齊；世上的閑言碎語，要將其一筆勾掉。

原文 **揮灑以怡情，與其應酬，何如兀坐；書禮以達情，與其工巧，何若直陳；棋局以適情，與其競勝，何若促膝；笑談以詒情，與其謔浪，何若狂歌。**

譯文 揮毫灑墨是爲了怡情，與其應酬，還不如獨自靜坐；知書達理是爲了達情，與其工巧表達，還不如直接陳述；下棋佈局是爲了適情，與其與人爭奪勝負，還不如促膝交談；談笑風生是爲了傳情，與其戲謔放浪，還不如開懷放歌。

原文 **「拙」之一字，免了無千罪過；「閑」之一字，討了無萬便宜。**

譯文 「拙」這個字，衹要好好運用，就能免去千萬次罪過；「閑」這個字，衹要好好運用，就能獲得千萬次便宜。

原文 **斑竹半簾，惟我道心清似水；黃粱一夢，任他世事冷如冰。欲住世出世，須知機息機。**

譯文 透過半葉門簾，看到蒼翠的斑竹，衹有我的心清靜如水；黃粱一夢，富貴如同過眼煙雲，皆是虛幻，管它世間人情冷暖。想要生活在塵世間卻懷着出世之心，必須明白機巧卻又熄滅機巧之心。

原文 **書畫爲柔翰，故開卷張冊，貴於從容；文酒爲歡場，故對酒論文，忌於寂寞。**

譯文 書法繪畫是用毛筆寫就，十分高雅，因此打開卷軸、書卷，貴在從從容容；談詩論酒是在歡樂的場景，因此把酒論詩，忌諱寂寞。

原文 **榮利造化，特以戲人；一毫着意，便屬桎梏。**

譯文 榮華富貴、功名利祿，這些都是專門戲弄人的；一旦稍稍動了點心思，它們就都會成爲束縛和枷鎖。

原文 **士人不當以世事分讀書，當以讀書通世事。**

譯文 讀書人不應該將世間的事情與讀書割裂開來，而應當通過讀書來明白世間之事。

原文 **天下之事，利害常相半；有全利，而無小害者，惟書。**

譯文 天下的事，利和害常常各占一半；全部都是利，而沒有一點害處的，衹有讀書。

原文 **意在筆先，向庖羲細參易畫；慧生牙後，恍顏氏冷坐書齋。**

譯文 意念在動筆之前就已形成，就像先前庖羲精心研究天地之象而後製成先天八卦圖；潛心研讀古人的書籍，就好像是顏回冷冷清清地坐在書齋之中。

原文 **明識紅樓爲無塚之丘壟，迷來認作舍身巖；真知舞衣爲暗動之兵戈，快去暫同試劍石。**

譯文 明明知道青樓就是沒有墳塚的墓地，癡迷之時竟然還把它視爲脫離人生世俗和罪孽昇入極樂世界之所；倘若真的知道歌伎的舞衣是暗中揮動的兵刃，還是趕快下定決心與之決絕吧。

原文 **調性之法，須當似養花天；居才之法，切莫如妒花雨。**

譯文 調養性情的方法，就應該像暮春牡丹花開的時節一樣溫和；籠絡人才的方法，千萬不能像花期時的驟雨一樣心懷妒意。

原文 **事忌脫空，人怕落套。**

譯文 做事最忌諱脫離實際，成爲空談，爲人最怕落入俗套。

原文 **煙雲堆裏，浪蕩子逐日稱仙；歌舞叢中，淫欲身幾時得度？**

譯文 在煙霧繚繞的山林中隱居，行爲放蕩不檢點的人也一天接一天地自稱神仙；那些沉迷在歌臺舞榭之中淫欲無度之人，什麼時候纔能得到超度？

原文 **山窮鳥道，縱藏花谷少流鶯；路曲羊腸，雖覆柳蔭難放馬。**

譯文 倘若高山阻斷了所有的鳥道，縱然是開滿鮮花的山谷，也很少有流鶯歌唱；倘若山道像羊腸一樣彎彎曲曲，即使綠柳如蔭，也很難信馬由繮。

原文 **能於熱地思冷，則一世不受凄涼；能於淡處求濃，則終身不落枯槁。**

譯文 能夠在權勢顯赫時想到門可羅雀的冷落，那麼一生都不會遭受凄涼；能在恬淡之處尋求濃厚之感，那麼一生都不會落到形如枯槁的境地。

原文 **會心之語，當以不解解之；無稽之言，是在不聽聽耳。**

譯文 能夠互相心領神會的言語，應當不用解釋就能理解它；未經查證的話，應當任它由耳邊流過，而不要相信它。

原文 **佳思忽來，書能下酒；俠情一往，雲可贈人。**

譯文 美好的情思突然來時，無需佳肴，有書便能佐酒；不羈的情意一發，即使手中無物，亦可以贈人以雲。

原文 **藹然可親，乃自溢之沖和，妝不出溫柔軟款；翹然難下，乃生成之倨傲，假不得遜順從容。**

譯文 和藹可親，這是自然而然流露出的恬淡平和，假裝是裝不出溫柔、深情真摯的樣子的；高高在上，不能與下人親近，這是自然生成的傲慢，假裝是裝不出謙遜從容的樣子的。

原文 **極難處，是書生落魄；最可憐，是浪子白頭。**

譯文 最困難的是，書生生活不濟，落魄潦倒；最可憐的是，浪子虛度青春直到白髮蒼蒼之時。

原文 **世路如冥，青天障蚩尤之霧；人情如夢，白日蔽巫女之雲。**

譯文 世間的道路如同黑夜一樣晦暗不清，青天被蚩尤所作的大霧所遮掩；人情如同做夢一樣虛幻，白日被巫女之雲所遮蔽。

原文 **密交，定有夙緣，非以雞犬盟也；中斷，知其緣盡，寧關萋菲間之？**

譯文 交往密切，必定是彼此之間有前世的緣分，不是因為結下了雞犬盟；友情中斷，知道是緣分已盡，怎麼是因為讒言而產生了閑隙呢？

原文 **堤防不築，尚難支移壑之虞；操存不嚴，豈能塞橫流之性？**

譯文 一條河如果不修建堤壩，尚且很難應付河流改道的憂患；一個人倘若不能嚴守節操，又怎麼能夠堵住欲望橫流的人性呢？

原文 **發端無緒，歸結還自支離；入門一差，進步終成恍惚。**

譯文 開端沒有頭緒，終究還是會支離破碎；入門走錯一步，向前走也終究會恍惚不清。

原文 **打諢隨時之妙法，休嫌終日昏昏；精明當事之禍機，卻恨一生了了。藏不得是「拙」，露不得是「醜」。**

譯文 插科打諢是順應時勢的高妙之法，不要嫌棄整日糊塗；精明是面對事情時的禍根，最終衹會悔恨一生毫無收獲。對於人而言，藏不得的是「拙」，不能顯露的是「醜」。

原文 **形同雋石，致勝冷雲，決非凡士；語學嬌鶯，態摹媚柳，定是弄臣。**

譯文 外形上如同是山中的美石，意態勝過冬天的寒雲，這樣的人絕不是平庸之人；說話學習嬌鶯，儀態模擬嫵媚的楊柳，這樣的人必定是玩弄權術的弄臣。

原文 **開口輒生雌黄月旦之言，吾恐微言將絕；捉筆便驚繽紛綺麗之飾，當是妙處不傳。**

譯文 一張口就信口開河，我擔心精微卻深藏大義的語言將要絕跡了；提筆就是繽紛綺麗的藻飾，應當是沒有傳達出妙處。

原文 **風波肆險，以虛舟震撼，浪靜風恬；矛盾相殘，以柔指解分，兵銷戈倒。**

譯文 在風波驚險的時刻，無人駕駛的船隻從容應對風波的搖撼，就會風平浪靜；處在針鋒相對、你爭我奪的矛盾之中，以柔軟的手法化解矛盾，就會兵銷戈倒太平無事。

原文 **豪傑向簡淡中求，神仙從忠孝上起。**

譯文 才智出衆的人要從簡單平淡中去求，要成爲神仙先要從忠孝二字做起。

原文 **人不得道，生死老病四字關，誰能透過？獨美人名將，老病之狀，尤爲可憐。**

譯文 人若不能對生命大徹大悟，生、老、病、死這四個生命的關卡，又有誰能看得破？尤其是傾國傾城的美人和叱咤一時的名將，他們年老多病的情狀，更使人感到生命的無奈和可憐。

原文 **日月如驚丸，可謂浮生矣，惟靜臥是小延年；人事如飛塵，可謂勞攘矣，惟靜坐是小自在。**

譯文 光陰就像是受了驚嚇狂奔的彈丸，人生可謂漂浮不定，衹有靜臥纔算是稍微延長了壽命；人生就像是飄浮在空中的塵埃，可以稱得上是辛勞擾亂，衹有靜坐纔是小小的自在。

原文 **平生不作皺眉事，天下應無切齒人。**

譯文 平生不做令人皺眉憎恨的事情，天下就應該沒有對我恨得咬牙切齒的人。

原文 **暗室之一燈，苦海之三老；截疑網之寶劍，抉盲眼之金針。**

譯文 暗室中的一盞燈，如同擺渡世人脫離苦海中的舵工；斬斷疑網的寶劍，宛如撥開盲眼的金針。

原文 **攻取之情化，魚鳥亦來相親；悖戾之氣銷，世途不見可畏。**

譯文 進攻、索取的性情解開了，即使是魚、鳥也會與你親近；悖謬、乖戾的脾氣消解了，世間的道路也就不可怕了。

原文 **吉人安詳，即夢寐神魂，無非和氣；凶人狠戾，即聲音笑語，渾是殺機。**

譯文 善良的人慈祥和藹，即使是夢中的神仙鬼魂，也沒有不是和氣的；惡人凶狠殘暴，即使是歡聲笑語，也全都是殺機。

原文 **天下無難處之事，衹要兩個如之何；天下無難處之人，衹要三個必自反。**

譯文 天下沒有難以處理的事，衹要是多想想該怎麼做，這樣做會怎麼樣的問題；天下沒有難以相處的人，衹要每天都多多進行反省。

原文 **能脫俗便是奇，不合汙便是清。處巧若拙，處明若晦，處動若靜。**

譯文 能夠超脫世俗，便是不平凡；能夠不與人同流合汙，便是清高。對於愈是巧妙的事情，愈要以拙笨的方法處理；雖然位居高明之處，卻能善自韜晦；雖然處於動蕩的環境，卻要像處在平靜的環境中一般。

原文 **參玄藉以見性，談道藉以修真。**

譯文 參悟玄理，借此來洞察人性；談論義理，借此來修身養性。

原文 **世人皆醒時作濁事，安得睡時有清身？若欲睡時得清身，須於醒時有清意。**

譯文 世間的人都是在清醒之時做糊塗事，怎麽能夠在睡覺的時候擁有清白之身呢？倘若想在睡着的時候擁有清白之身，必須在清醒的時候存有單純潔淨的意念。

原文 **好讀書非求身後之名，但異見異聞，心之所願。是以孜孜搜討，欲罷不能，豈爲聲名勞七尺也？**

譯文 喜好讀書不是爲了謀求身後的名聲，而衹是爲了獲得獨特的見解和見聞，這纔是心中的願望。因此會孜孜不倦地搜索討教，想要停下來都不能，怎麽會是爲了贏得好名聲而使七尺身軀受到勞累呢？

原文 **一間屋，六尺地，雖沒莊嚴，卻也精緻；蒲作團，衣作被，日裏可坐，夜間可睡；燈一盞，香一炷，石磬數聲，木魚幾擊；龕常關，門常閉，好人放來，惡人回避；髮不除，葷不忌，道人心腸，儒者服制；不貪名，不圖利，了清靜緣，作解脫計；無掛礙，無拘繫，閑便入來，忙便出去；省閑非，省閑氣，也不遊方，也不避世；在家出家，在世出世，佛何人？佛何處？此即上乘，此即三昧。日復日，歲復歲，畢我這生，任他後裔。**

譯文 一間屋，六尺地，雖然不莊嚴，卻也很精致；蒲柳作團，衣服作被子，白天可以坐着，晚上可以睡覺；一盞燈，一炷香，幾聲石磬，敲幾下木魚；佛龕常常關着，門經常緊閉，如果是好人就放他進來，遇到壞人就回避；頭髮不剃除，葷腥食物不禁忌，心懷修道之人的心腸，身體卻穿着儒家之人的服飾；不貪求功名，不貪圖利祿，了卻塵緣，清淨養心，以此求得解脫，逃離世俗；沒有任何掛念、煩惱，沒有任何羈絆、束縛，閑時就來到此地，忙時就外出離開；省去了因閑而生的是非，省去了因閑而生的煩惱，不用四處雲遊，也不用避開塵世；在家裏修行出家，在塵世懷有出世之心，佛是什麼人？佛在什麼地方？這就是參佛的上乘境界，這就是悟得了三昧。日復一日，年復一年，終其一生，任憑他後世如何。

原文 **招客留賓，爲歡可喜，未斷塵世之扳援；澆花種樹，嗜好雖**

清，亦是道人之魔障。

譯文 招呼、款待賓客，雖然大家十分歡樂，卻是無法了斷塵情的攀緣；喜歡澆澆花、種種樹，這種嗜好雖然十分清雅，但也是修道的障礙。

原文 **人常想病時，則塵心便減；人常想死時，則道念自生。**

譯文 人常常想到生病的時候，許多塵世之心就會一掃而空；人常常想到死亡之時，則追求眞實而永恆生命的念頭便自然而生。

原文 **入道場而隨喜，則修行之念勃興；登丘墓而徘徊，則名利之心頓盡。**

譯文 來到寺院道觀並隨之欣喜，那麼修行的念頭就會很強烈；登上丘墓而來回徘徊，那麼爭名奪利的想法就會立刻熄滅。

原文 **鑠金玷玉，從來不乏乎讒人；洗垢索瘢，尤好求多於佳士。止作秋風過耳，何妨尺霧障天？**

譯文 誹謗詆毀他人，自古以來就不缺少進讒言的人；洗去汙穢後仍然索尋瘢痕，過分挑剔，特別喜歡尋找毛病的人多於品行和才學優良的人。要把這些當成秋風吹過耳朵，不要在意，何必擔心一尺的霧能夠遮住整個天空？

原文 **真放肆不在飲酒高歌，假矜持偏於大庭賣弄。看明世事透，自然不重功名；認得當下真，是以常尋樂地。**

譯文 眞正的不拘於規矩禮數，並不一定要飲酒狂歌，虛假的莊重在大庭廣衆間看來既做作又不自然。能將世事看得透徹，自然不會過於重視功名；衹要及時明白什麼是最眞實的，就能尋到讓心性感到怡悅的天地。

原文 **富貴功名、榮枯得喪，人間驚見白頭；風花雪月、詩酒琴書，世外喜逢青眼。**

譯文 功名富貴、榮枯得失，在人世間驚奇地發現有多少人因此而白了頭髮；風花雪月、詩酒琴書，在塵世之外驚喜地發現能受到知心朋友的喜愛和器重。

原文 **欲不除，似蛾撲燈，焚身乃止；貪無了，如猩嗜酒，鞭血方休。**

譯文 欲望不除，就好像飛蛾撲火一樣，直到將自己焚燒了纔停止；貪念不了斷，就好像猩猩嗜好飲酒一樣，直到身體被鞭打出血纔肯罷休。

原文 **涉江湖者，然後知波濤之洶湧；登山嶽者，然後知蹊徑之崎嶇。**

譯文 渡過江湖的人，纔知道江湖波濤洶湧的凶險；登過山嶽的人，纔能明白山間小道的崎嶇不平。

原文 **人生待足何時足？未老得閒始是閑。**

譯文 人生活在世上若是一定要等待滿足之時，那麽到底何時纔能眞正滿足呢？在還未老的時候，能得到清閑，纔是眞正的清閑。

原文 **談空反被空迷，耽靜多爲靜縛。**

譯文 一味地談論虛靜之性反而被虛靜之性所迷惑，如果沉溺於虛靜之境多會被虛靜之境所束縛。

原文 **舊無陶令酒巾，新撇張顛書草；何妨與世昏昏，祇問君心了了。**

譯文 舊時沒有陶令酒巾，現在剛剛撇開張旭狂草；表面上與世俗一樣渾渾噩噩又有何妨呢，祇要我內心清如明鏡就行。

原文 **以書史爲園林，以歌詠爲鼓吹，以理義爲膏粱，以著述爲文繡，以誦讀爲菑畬，以記問爲居積，以前言往行爲師友，以忠信篤敬爲修持，以作善降祥爲因果，以樂天知命爲西方。**

譯文 把經史書籍當成園林觀賞，把歌詠當成鼓吹樂，把道理正義當成肥美的食物，把著述立說當成美麗的刺繡，把誦讀詩書當成耕耘，把記誦詩書以待問或資談助當成囤積物品，把以往的賢人的言行當成老師和朋友，把忠實守信、篤學恭敬當成持戒修行，把行善積德當成因果循環，把樂天知命當成西方極樂世界。

原文 **雲煙影裏見真身，始悟形骸爲桎梏；禽鳥聲中聞自性，方知情識是戈矛。**

譯文 在雲影煙霧中看見世間色身，始明白肉身原來是拘束人的東西；在鳥鳴聲中體味出人的自然本性，纔知道情欲是戈矛一般的利器。

原文 **定雲止水中，有鳶飛魚躍的景象；風狂雨驟處，有波恬浪靜的風光。**

譯文 在停頓的雲，靜止的水中，有鳶在雲間穿飛，魚在水中跳躍的景象；在風狂雨驟的地方，也有風平浪靜的風光。

原文 **平地坦途，車豈無蹶？巨浪洪濤，舟亦可渡；料無事必有事，恐有事必無事。**

譯文 走在平地坦途上，難道車子就沒有被顛覆的危險嗎？在洶湧的波濤之中，也有小舟能平安渡過；料想無事之時必定會有事，擔心有事的時候反而一定會沒事。

原文 **富貴之家，常有窮親戚來往，便是忠厚。**

譯文 富貴的家庭，經常會有窮親戚來往走動，這樣的家庭就是忠厚之家。

原文 **朝市山林俱有事，今人忙處古人閑。**

譯文 官場、市井和隱者所居之地都有忙碌的事，如今的人忙碌的地方恰恰是古人閑適的地方。

原文 **人生有書可讀，有暇得讀，有資能讀；又涵養之如不識字人，是謂善讀書者。享世間清福，未有過於此也。**

譯文 人生在世，能有書可讀，又能有空閑的時間讀書，同時又不缺錢買書；雖然讀了許多書，卻涵養得像不識字的人，就可說是善於讀書的人了。

能享世間清閑之福，恐怕沒有超過這個的。

原文 **世上人事無窮，越幹越做不了；我輩光陰有限，越閑越見清高。**

譯文 人世間的事沒有窮盡，越幹越覺得幹不完；我輩光陰有限，越是清閑就越顯得清高。

原文 **兩刃相迎俱傷，兩強相敵俱敗。**

譯文 兩件兵器鋒刃相接，則兩件兵器都會受到損傷；兩個強敵相拚打，則兩個人都會遭受失敗。

原文 **我不害人，人不我害；人之害我，由我害人。**

譯文 我不損害別人，別人也不會損害我；如果有人損害我，必定是因爲我損害了別人。

原文 **商賈不可與言義，彼溺於利；農工不可與言學，彼偏於業；俗儒不可與言道，彼謬於詞。**

譯文 不可以與商人談論道義，因爲他們沉湎於謀利；不可以與農民、百業工匠談論學問，因爲他們偏愛自己的本業；不可以與淺陋迂腐的儒生談論事理，因爲他們有時拘泥於荒謬的言詞。

原文 **博覽廣識見，寡交少是非。**

譯文 博覽群書可以增長見識，少與人交際可以減少是非。

原文 **明霞可愛，瞬眼而輒空；流水堪聽，過耳而不戀。人能以明霞視美色，則業障自輕；人能以流水聽弦歌，則性靈何害？**

譯文 燦爛的雲霞十分可愛，但是轉眼之間就消失了；流水之音十分好聽，但是聽過也就不再留戀。人如果能以觀賞明霞的心來欣賞美人的姿色，那麼因色而起的罪孽自然就會減輕；如果能以聽流水的心情來聽弦音歌唱，那麼弦歌又何害於我們的精神、情感呢？

原文 **休怨我不如人，不如我者常衆；休誇我能勝人，勝如我者更多。**

譯文 不要怪我比不上別人，不如我的人多得是；不要誇我比別人強，比我強的人還有很多。

原文 **人心好勝，我以勝應必敗；人情好謙，我以謙處反勝。**

譯文 人總是喜歡爭強好勝，倘若我也用爭勝心來應對的話，最終必然會

失敗；人總是喜歡謙虛，假如我用謙虛來應對的話，反而會取勝。

原文 **人言天不禁人富貴，而禁人清閑，人自不閑耳。若能隨遇而安，不圖將來，不追既往，不蔽目前，何不清閑之有？**

譯文 有人說：老天不禁止人富貴榮達，卻禁止人過得清閑自在，其實，衹是人自己不肯清閑下來罷了。如果能安於所處的環境，不圖謀將來，不追悔過去，也不被眼前的事物所蒙蔽，那麼，哪有不清閑的道理呢？

原文 **暗室貞邪誰見，忽而萬口喧傳；自心善惡炯然，凜於四王考校。**

譯文 暗室中的忠貞與奸邪，沒有誰看到了，忽然間大家就都在議論言說；自己內心對善惡十分明白，比四王考囚問罪更令人畏懼！

原文 **寒山詩云：「有人來罵我，分明了了知。雖然不應對，卻是得便宜。」此言宜深玩味。**

譯文 寒山子的詩說：「有人跑來辱罵我，我聽得十分清楚。雖然如此，卻沒有任何反應，因爲我了解自己已經由此得了很大的好處。」這句話很值得我們深深地品味。

原文 **恩愛，吾之仇也；富貴，身之累也。**

譯文 恩情蜜愛是我的仇敵；富貴榮華是我的累贅。

原文 **馮諼之鋏，彈老無魚；荊軻之筑，擊來有淚。**

譯文 馮諼的長劍即使彈到老，也不會有人欣賞他、給他魚吃；高漸離擊筑，荊軻慷慨悲歌，則讓人感動不已，潸然淚下。

原文 **以患難心居安樂，以貧賤心居富貴，則無往不泰矣；以淵谷視康莊，以疾病視強健，則無往不安矣。**

譯文 倘若生活於安樂之中還能夠保有身處患難之中的心情，生活於富貴之中還能保持貧賤之時的心態，那麼什麼時候都是安泰的；在康莊大道上還能夠以如臨深淵的心境行走，擁有強健體魄時能夠以身患疾病之時的心情注重身體，那麼什麼時候都是平安的。

原文 **有譽於前，不若無毀於後；有樂於身，不若無憂於心。**

譯文 在人前有贊美的言詞，倒不如在背後沒有毀謗的言論；在身體上感到舒適快樂，倒不如在心中無憂無慮。

原文 **富時不儉貧時悔，潛時不學用時悔，醉後狂言醒時悔，安不將息病時悔。**

譯文 富貴的時候不知道節儉，等到貧窮之時就會懊悔；平時不好好學習，等到用得着的時候就會後悔；喝醉之後說出狂妄之言，等到酒醒之後就會懊悔；安康的時候不好好休息調養，等到生病的時候就會悔恨。

原文 **寒灰內，半星之活火；濁流中，一線之清泉。**

譯文 已經寒冷的灰燼中，尚且還存有半星可以燃燒的火；汙濁的河流之中，尚且還有一絲清泉。

原文 **攻玉於石，石盡而玉出；淘金於沙，沙盡而金露。**

譯文 用其他山上的石頭來琢磨玉器，石頭磨耗盡了，玉就呈現出來了；在沙中淘金，沙淘盡了，金子也就顯露出來了。

原文 **乍交不可傾倒，傾倒則交不終；久與不可隱匿，隱匿則心必險。**

譯文 剛剛與人結交的時候不能什麼話都說，什麼話都說，交情就不能善始善終；交往時間長了，說話就不能再有所隱瞞，要暢所欲言，說話有所隱瞞，必然會心存險惡。

原文 **丹之所藏者赤，墨之所藏者黑。**

譯文 保藏丹砂的物品時間長了就會變紅，保存墨的物品時間長了就會變黑。

原文 **懶可卧，不可風；靜可坐，不可思；悶可對，不可獨；勞可酒，不可食；醉可睡，不可淫。**

譯文 懶的時候可以卧躺着，但不能卧於吹風處；平靜的時候可以閑坐，但不能思考；煩悶的時候可以與人共處，但不可自己獨自一人；勞累的時候可以喝點小酒，但不能暴飲暴食；喝醉了可以睡覺，但不能淫樂。

原文 **書生薄命原同妾，丞相憐才不論官。**

譯文 書生命運悲慘，原本就如同他人的姬妾；丞相愛惜人才，不管是否爲官、官位高低。

原文 **少年靈慧，知抱夙根；今生冥頑，可卜來世。**

譯文 少年靈巧聰慧，可以知道他前世積善行德修得今世的慧根；今生冥頑不靈、愚昧無知，可以預卜來世也大致相同。

原文 **撥開世上塵氛，胸中自無火炎冰兢；消卻心中鄙吝，眼前時有月到風來。**

譯文 撥開人世間塵俗的氛圍，心中就不會像火炙一般焦灼渴望，也不會如履薄冰一般不安恐懼；除去心中卑鄙庸俗的念頭，眼前便會時有清風明月到來。

原文 **塵緣割斷，煩惱從何處安身？世慮潛消，清虛向此中立腳。**

譯文 割斷了塵世中的因緣，煩惱將在何處安身呢？暗中消除了世間的種種顧慮雜念，清淨虛無自然也會在此之中立住腳根。

原文 **市爭利，朝爭名，蓋棺日何物可殉蒿里？春賞花，秋賞月，荷鍤時此身常醉蓬萊。**

譯文 市井之中爭奪利益，朝廷之中爭奪名聲，等到死去蓋棺之日，這些東西可以殉葬到葬地之中嗎？春天賞花，秋天賞月，等到死的時候就會覺得自己如同處在蓬萊仙境一樣。

原文 **駟馬難追，吾欲三緘其口；隙駒易過，人當寸惜乎陰。**

譯文 君子一言既出，駟馬難追，所以我們說話要十分慎重，沉默思考幾次之後再說；時間如同白駒過隙，轉眼即逝，因此人應該珍惜每寸光陰。

原文 **萬分廉潔，止是小善；一點貪汙，便爲大惡。**

譯文 萬分的廉潔，也衹是小小的善行；一丁點的貪汙，就是極大的罪惡。

原文 **炫奇之疾，醫以平易；英發之疾，醫以深沉；闊大之疾，醫以充實。**

譯文 好以奇特炫耀於人的毛病，要用簡易平實來醫治；好把才智表現在外的毛病，要用深刻沉潛來矯正；言行迂闊、大而無當的毛病，要以充實的內涵來改正。

原文 **纔舒放即當收斂，纔言語便思簡默。**

譯文 剛剛舒緩放鬆就應該注意收斂自己，剛剛開始說話就要想到要簡約沉默。

原文 **貧不足羞，可羞是貧而無志；賤不足惡，可惡是賤而無能；老不足歎，可歎是老而虛生；死不足悲，可悲是死而無補。**

譯文 貧窮並不是值得羞愧的事，貧窮而沒有志向纔是羞恥的事；地位卑賤並不是令人厭惡的原因，厭惡的是地位卑賤還不知充實自己的能力；年老並不值得歎息，值得歎息的是年老而徒然活着；死也不值得悲傷，令人悲傷的是死去對社會也毫無貢獻。

原文 **身要嚴重，意要閑定；色要溫雅，氣要和平；語要簡徐，心要光明；量要闊大，志要果毅；機要縝密，事要妥當。**

譯文 身體要嚴肅莊重，精神要閑適從容；神色要溫文爾雅，心氣要平靜溫和；言語要簡潔舒緩，心胸要光明磊落；氣量要寬大，意志要堅決果毅；計劃要縝密，做事要妥妥當當。

原文 **富貴家宜學寬，聰明人宜學厚。**

譯文 富貴之家應當學習寬容，聰明的人應該學習仁厚。

原文 **休委罪於氣化，一切責之人事；休過望於世間，一切求之我身。**

譯文 不要把罪過推給所謂的氣數，一切都應該怪罪人之所爲；不要把過分的希望寄託於世間，一切都應該從自己的努力中去求得。

原文 **世人白晝寐語，苟能寐中作白晝語，可謂常惺惺矣。**

譯文 世上的人白日裏盡講些夢話，倘若能在睡夢中講清醒時該講的話，這人可說是能常常保持覺醒的狀態了。

原文　**觀世態之極幻，則浮雲轉有常情；咀世味之昏空，則流水翻多濃旨。**

譯文　觀看世間種種情態變幻無常，天上的浮雲，反而比人情世態還更有常情可循；咀嚼世間滋味的昏暗空虛，倒不如潺潺的流水，更能說明深厚的味道。

原文　**大凡聰明之人，極是誤事。何以故？惟聰明生意見，意見一生，便不忍捨割。往往溺於愛河欲海者，皆極聰明之人。**

譯文　一般而言，聰明之人很容易誤事。這是什麼原因呢？衹是因爲聰明就會產生見解和主張，見解和主張一旦萌生，就不忍心割捨。往往沉溺於愛河欲海之中的人，都是非常聰明的人。

原文　**是非不到釣魚處，榮辱常隨騎馬人。**

譯文　是是非非不會到達塵世之外與世無爭的垂釣之處，榮辱紛爭常常伴隨騎馬的達官貴人。

原文　**名心未化，對妻孥亦自矜莊；隱衷釋然，即夢寐皆成清楚。**

譯文　爭名好利之心還沒有消除，縱然是對妻子、兒女也要矜持莊重；隱藏的眞情和疑慮消除了，即使是在夢中也會十分清醒。

原文　**觀蘇季子以貧窮得志，則負郭二頃田，誤人實多；觀蘇季子以功名殺身，則武安六國印，害人亦不淺。**

譯文　從蘇秦因爲貧窮反而實現了志向來看，那麼臨近城郭的兩頃良田，誤人不少；從蘇秦因爲爭奪功名而被殺害來看，武安君的爵位、六國相印，也的確是害人不淺啊。

原文　**名利場中，難容伶俐；生死路上，正要糊塗。**

譯文　追名逐利之場，很難容忍聰明伶俐的人；人生漫長的道路上，正需要糊塗。

原文　**一杯酒留萬世名，不如生前一杯酒，自身行樂耳，遑恤其他？百年人做千年調，至今誰是百年人，一棺戢身，萬事都已。**

譯文　因爲一杯酒留下萬世美名，還不如生前的一杯酒，自己消遣行樂，哪裏還有閑情顧及其他？連百年都生活不了的人卻要謀劃千年，到如今誰是生活了百年的人呢，一副棺材藏身，萬事都已經結束了。

原文 **今天下皆婦人矣！封疆縮其地，而中庭之歌舞猶喧；戰血枯其人，而滿座之貂蟬之自若。我輩書生，既無誅賊討亂之柄，而一片報國之忱，惟於寸楮尺字間見之；使天下之鬚眉而婦人者，亦聳然有起色。集峭第三。**

譯文 今日天下還有哪個男兒可稱得上是大丈夫呢？無非都是一些婦人罷了。眼看着國土逐漸被敵人侵吞，然而廳堂中仍是一片笙歌；戰士的血都因流盡而枯乾了，朝廷中的官員卻仿佛無事一般。我們讀書人，既然沒有誅平亂事、討伐賊人的權柄，衹有將報效國家的赤誠，在文字上加以表現；使天下枉爲男子漢的人，因驚動而有所改進。因此編撰了第三集《峭》。

原文 **忠孝，吾家之寶；經史，吾家之田。**

譯文 忠孝是我們的持家之寶；熟讀經史就像是家裏的田地一樣是根本。

原文 **閑到白頭真是拙，醉逢青眼不知狂。**

譯文 虛度光陰，無所事事，直到白頭，這眞是笨拙，喝醉之後碰到別人的喜愛和器重，也不知道自己的狂妄。

原文 **興之所到，不妨嘔出驚人；心故不然，也須隨場作戲。**

譯文 興致來了的時候，不妨吐出驚人之語；即使心中不以爲然，也需要逢場作戲。

原文 **放得俗人心下，方可爲丈夫；放得丈夫心下，方名爲仙佛；放得仙佛心下，方名爲得道。**

譯文 能放得下世俗之心，方能成爲眞正的大丈夫；能放得下大丈夫之心，方能稱爲仙佛；能放得下成仙成佛之心，方能徹悟宇宙的眞相。

原文 **吟詩劣於講書，罵座惡於足恭。兩而揆之，寧爲薄行狂夫，不作厚顏君子。**

譯文 講解書中的道理好像比吟詩更容易令人有所得，在座上對人破口大罵，看來當然比過分恭敬要壞得多。然而，兩相比較之下，寧願做個輕薄的狂人，也不要做個厚臉皮的君子。

原文 **觀人題壁，便識文章。**

譯文 觀察人在石壁上題寫的詩句，就可以知道此人的文章如何。

原文 **寧爲真士夫，不爲假道學。寧爲蘭摧玉折，不作蕭敷艾榮。**

譯文 寧願做一個眞正的讀書人，而不做一個僞裝有道德學問的人。寧願像蘭草一般摧折，美玉一般粉碎，也不要像賤草蕭、艾一樣生長得很茂盛。

原文 **隨口利牙，不顧天荒地老；翻腸倒肚，那管鬼哭神愁。**

譯文 尖牙利齒，隨口就說，哪怕天荒地老也不會顧及；翻腸倒肚，將心中的話都說出來，哪管什麼鬼哭神嚎。

原文 **身世浮名，余以夢蝶視之，斷不受肉眼相看。**

譯文 人世的虛浮聲名，我把它視爲莊周夢蝶，衹是事物的變幻，絕不會去看它一眼。

原文 **達人撒手懸崖，俗子沉身苦海。**

譯文 通達生命之道的人能夠在極危險的境地放手離去，凡夫俗子則沉沒在世間種種苦惱中難以脫離。

原文 **銷骨口中，生出蓮花九品；鑠金舌上，容他鸚鵡千言。**

譯文 口中的讒言可以銷毀枯骨，也能夠生出蓮花九品這樣的佛家極樂境界；舌上的話語能夠鑠金，任它像鸚鵡學舌一樣人云亦云。

原文 **少言語以當貴，多著述以當富，載清名以當車，咀英華以當肉。**

譯文 以少說話爲貴，以多著書立說爲富有，把極好的清名視爲車，把美好的文章視爲肉。

原文 **竹外窺鶯，樹外窺水，峰外窺雲，難道我有意無意；鳥來窺人，月來窺酒，雪來窺書，卻看他有情無情。**

譯文 在竹林外面窺探黃鶯，在樹林之外探看水流，在山峰之外窺測白雲，很難說我是有意還是無意；鳥來窺視人，月亮來偷窺酒，雪來窺看書，卻看他是有情還是無情。

原文 **體裁如何，出月隱山；情景如何，落日映嶼；氣魄如何，收露斂色；議論如何，回飆拂渚。**

譯文 體裁怎麼樣，要看出來的月亮以及隱去的青山；情景怎麼樣，要看落下的太陽以及被餘暉映照的島嶼；氣魄怎麼樣，要看蒸發的露水和色彩的凝斂；議論怎麼樣，要看回旋的風輕拂着的水渚。

原文 **有大通必有大塞，無奇遇必無奇窮。**

譯文 有十分順利的時候就必然會有非常不順利的時候，沒有奇特的遭遇必定也沒有奇特的困窮。

原文 **霧滿楊溪，玄豹山間偕日月；雲飛翰苑，紫龍天外借風雷。**

譯文 楊溪大霧彌漫，隱居之人在山間與日月相伴；白雲飛過翰苑，紫龍乘借着風雷之勢從天外而來。

原文 **西山霽雪，東嶽含煙；駕鳳橋以高飛，登雁塔而遠眺。**

譯文 西山大雪停了，天放晴了，東嶽煙霧蒙蒙；沿着鳳凰高飛的通道高飛，登上大雁塔遠遠地眺望。

原文 **一失腳爲千古恨，再回頭是百年人。**

譯文 因一時不慎而犯下的錯誤會造成終身的遺憾，等到發覺而後悔時，已經事過年衰，無可挽回了。

原文 **學者要有兢業的心思，又要有瀟灑的趣味。**

譯文 求學的人應該既要有謹慎戒懼地對待學業的心情，又要有不拘泥、不迂腐的態度。

原文 **煩惱場空，身住清涼世界；營求念絕，心歸自在乾坤。**

譯文 將煩惱的世界看破了，此身便能安住在清涼無比的世界裏；營營求取的念頭斷絕了，此心便能在天地間獲得自在。

原文 **覰破興衰究竟，人我得失冰消；閱盡寂寞繁華，豪傑心腸灰冷。**

譯文 看破了人世興衰最後的結果，就能使種種得失之心消釋；看盡了冷清寂寞和奢侈繁華的情景，連英雄豪傑也會心灰意冷。

原文 **名衲談禪，必執經昇座，便減三分禪理。**

譯文 有名的僧人談禪，必定手持經書，昇座講堂，這樣就會減少三分禪理。

原文 **窮通之境未遭，主持之局已定；老病之勢未催，生死之關先破。求之今人，誰堪語此？**

譯文 在還未遭受貧窮或顯達的境遇時，便先確立自我生命的方向；在還未受到年老和疾病的折磨時，便預先看破生死的道理。在現今的社會上，能和誰談論這些呢？

原文 **一紙八行，不遇寒溫之句；魚腹雁足，空有往來之煩。是以**

嵇康不作，嚴光口傳，豫章擲之水中，陳泰掛之壁上。

譯文　一張紙八行的書信，不過都是噓寒問暖的話而已；藏於魚腹、雁足中的書信，白白地帶來往來的煩惱。因此嵇康不作書信，嚴光祇是讓人傳話，豫章郡守殷洪喬把百封書信都擲於水中，陳泰把珍寶都掛在了牆壁上。

原文　**枝頭秋葉，將落猶然戀樹；簷前野鳥，除死方得離籠。人之處世，可憐如此。**

譯文　秋天樹枝上的黃葉，即使將要落下，仍然眷戀着枝頭；屋簷下的野鳥，除非死去，纔得以離開它的巢。人生在世，就像這秋葉與野鳥一般可憐。

原文　**士人有百折不回之真心，才有萬變不窮之妙用。**

譯文　一個人對任何事都具有百折不撓的堅貞心志，纔能在遭逢任何變化時都有應付自如的能力。

原文　**立業建功，事事要從實地着腳，若少慕聲聞，便成僞果；講道修德，念念要從虛處立基，若稍計功效，便落塵情。**

譯文　創立事業，建立功績，都要腳踏實地地做，如果稍微有羨慕聲名的想法，便會使原有的成果變得虛假不實；窮究道理，修養德行，時時都要從安身立命之處下工夫，如果稍微有計較功效的念頭，便會落入凡心俗情。

原文　**執拗者福輕，而圓融之人其祿必厚；操切者壽夭，而寬厚之士其年必長。故君子不言命，養性即所以立命；亦不言天，盡人自可以回天。**

譯文　性情固執乖戾的人福氣很少，而性情圓滿融通的人祿命十分豐厚；做事急躁的人命短，而性情寬容沉厚的人壽命長遠。所以，君子不談論命運，因爲修養心性便足以安身立命；君子亦不討論天意，因爲盡人事便足以扭轉局勢。

原文　**才智英敏者，宜以學問攝其躁；氣節激昂者，當以德性融其偏。**

譯文　才華和智慧敏捷出衆的人，最好能用學問來收攝浮躁之氣；志氣和節操過於激烈高亢的人，應當修養德性來融和偏激的地方。

原文　**有面前之譽易，無背後之毀難；有乍交之歡易，無久處之厭難。**

譯文　當面受到贊譽容易，背後不受人詆毀卻很難；剛剛結交之時相處很愉快容易，相處時間長了還不被人討厭則難。

原文　**榮寵旁邊辱等待，不必揚揚；困窮背後福跟隨，何須戚戚？看破有盡身軀，萬境之塵緣自息；悟入無懷境界，一輪之心月獨明。**

譯文　榮耀、寵幸的旁邊就有恥辱在等待，不必那麼自得；困厄貧窮的後面福氣緊緊跟隨，何必如此傷心悲戚呢？看破了人生之有限，一切的塵世雜念自然就都熄滅了；參悟到了了無牽掛的境界，心中的月亮將永遠澄明。

原文　**斜陽樹下，閑隨老衲清談；深雪堂中，戲與騷人白戰。**

譯文　斜陽夕照時，閑適地和老和尚在樹下談論佛理；在下着大雪的日子裏，與詩人、文士們在廳堂中戲作禁體詩取樂。

原文　**山月江煙，鐵笛數聲，便成清賞；天風海濤，扁舟一葉，大是奇觀。**

譯文　山中月色朦朧，江上煙霧籠罩，鐵笛聲聲，這便是清雅的景致；天上狂風大作，海裏波濤洶湧，一葉扁舟在驚濤駭浪中穿行，這眞是一大奇觀。

原文　**秋風閉戶，夜雨挑燈，臥讀《離騷》淚下；霽日尋芳，春宵載酒，閑歌《樂府》神怡。**

閑居山中

譯文 秋風習習，關上門戶，夜雨淅淅瀝瀝地下着，挑燈夜讀，躺在床上讀《離騷》，竟潸然淚下；晴日裏尋找芬芳的野花，春夜無事便喝酒唱歌，悠閑地唱着《樂府》詩，怡情悅性。

原文 **雲水中載酒，松篁裏煎茶，豈必鑾坡侍宴？山林下著書，花鳥間得句，何須鳳沼揮毫？**

譯文 在白雲清水間載酒載歌，在松林竹林間煮茶，何必一定要在翰林院中侍奉皇帝宴飲呢？隱居山林中著書立說，在鳥語花香中釀得佳句，何必一定要在中書省揮毫擬定詔書呢？

原文 **人生不好古，象鼎犧樽，變爲瓦缶；世道不憐才，鳳毛麟角，化作灰塵。**

譯文 人生在世倘若不喜好古玩的話，像象鼎、犧樽這樣珍貴的古代文物也就如同一般的瓦器一樣；人世間倘若不愛惜人才，即使是像鳳毛、麒角這樣稀少的奇才，也終究將被視爲塵土，不被重用。

原文 **要做男子，須負剛腸；欲學古人，當堅苦志。**

譯文 要做個眞正的大丈夫，必須有一副剛正不阿的心腸；想要學習古人，應當堅定吃苦耐勞的志向。

原文 **風塵善病，伏枕處一片青山；歲月長吟，操觚時千篇白雪。**

譯文 一路風塵，奔波勞碌，容易生病，頭躺在枕上，好好休養，就會如同有一片青山在眼前；悠悠歲月，衹要能夠堅持長吟，等到寫詩行文之時，就能下筆如有神，寫就千篇「陽春白雪」。

原文 **親兄弟折箸，璧合翻作瓜分；士大夫愛錢，書香化爲銅臭。**

譯文 親如手足的兄弟如果不團結，即使原本如同美玉一般有價值，分開後如同瓜果一般不値錢；讀書人如果過於愛財，書中的道理也會化爲金錢的臭味。

原文 **心爲形役，塵世馬牛；身被名牽，樊籠雞鶩。**

譯文 人心如果成爲形體的奴隸，人就如同牛馬一般活在世上；倘若身心爲聲名所束縛，人就如同關在籠中的雞鴨。

原文 **懶見俗人，權辭託病；怕逢塵事，詭跡逃禪。**

譯文 倘若懶得接見那些世俗之人，就權且託詞生病了；假若害怕遭逢塵世之事，就隱藏行跡，逃遁世事，參禪悟道吧。

原文 **人不通古今，襟裾馬牛；士不曉廉恥，衣冠狗彘。**

譯文 人如果不知通達古今的道理，就如同穿着衣服的牛馬一般；讀書人如果不明白廉恥，就像穿衣戴帽的豬狗一樣。

原文 **道院吹笙，松風嫋嫋；空門洗鉢，花雨紛紛。**

譯文 在道院裏吹笙，道院外的松林風聲嫋嫋，與之相應和；在佛門中傳經授法，突然感到漫天鮮花如同下雨一樣飄落。

原文 **囊無阿堵，豈便求人？盤有水晶，猶堪留客。**

譯文 囊中羞澀，沒有錢財，怎麼能夠求人？盤子中有蝦米，尚且還可以留客。

原文 **種兩頃負郭田，量晴校雨；尋幾個知心友，弄月嘲風。**

譯文 在城郊種幾塊田地，計算着晴雨和氣候的變化；交幾個知心朋友，玩賞明月清風，欣賞彼此的文章。

原文 **着屐登山，翠微中獨逢老衲；乘桴浮海，雪浪裏群傍閑鷗。才士不妨泛駕，轅下駒吾弗願也；諍臣豈合模棱，殿上虎君無尤焉。**

譯文 穿着草鞋登山，在青翠的山色中單獨遇見了老和尚；乘着木筏在海上漂流，雪白的浪花裏有成群的海鷗。有才能的人不妨到山巔海涯去過日子，像車轅下面的馬駒那般拘束的生活，實在不是我心之所願；作爲一個直言進諫的臣子，不能說一些模棱兩可的話，有了像劉安世這樣敢於在殿上直諫的臣子，君主就沒有憂慮了。

原文 **荷錢榆莢，飛來都作青蚨；柔玉溫香，觀想可成白骨。**

譯文 荷葉和榆莢，就是我囊中的金錢；柔美的女子，通過時空的想象，不過是白骨一堆。

原文 **旅館題蕉，一路留來魂夢譜；客途驚雁，半天寄落別離書。**

譯文 在旅館中題詩於芭蕉葉上，一路留下無數魂牽夢繞的詩譜；在旅途中突然受驚的飛雁，從半空中落下一封別離的書信。

原文 **歌兒帶煙霞之致，舞女具丘壑之資。生成世外風姿，不慣塵中物色。**

譯文 牧童的歌聲帶着煙霞繚繞的山林的韻致，舞女的舞姿具有林間田園的姿態。生來就帶有世俗之外的風姿，對塵世中的景物、美色很不習慣。

原文 **今古文章，衹在蘇東坡鼻端定優劣；一時人品，卻從阮嗣宗**

眼內別雌黃。

譯文 古往今來的文章，衹在蘇東坡的鼻端評定優劣；一時的人品，卻可以從阮籍的眼中區分出好壞。

原文 **魑魅滿前，笑着阮家無鬼論；炎囂閱世，愁披劉氏《北風圖》。氣奪山川，色結煙霞。**

譯文 眼前盡是陰險狡詐如鬼的人，而阮瞻卻主張無鬼論，眞是可笑；看着這喧喧攘攘、爭逐不已的塵世，不禁滿懷憂愁地觀覽劉褒的《北風圖》。它的氣勢蓋過了山川，墨色糾結了煙霞的燦爛。

原文 **至音不合眾聽，故伯牙絕弦；至寶不同眾好，故卞和泣玉。**

譯文 格調太高的音樂很難讓衆人接受，所以，伯牙在鍾子期死後便不再彈琴；最珍貴的寶物很難讓衆人喜愛，因此，卞和纔會抱着玉在荊山下面哭泣。

原文 **看文字，須如猛將用兵，直是鏖戰一陣；亦如酷吏治獄，直是推勘到底，決不恕他。**

譯文 欣賞文章，應該如同猛將用兵打仗一樣，必須鏖戰一陣；又如同嚴

酷的官吏處理獄案一樣，必須探查出個究竟，絕對不能寬恕犯人。

原文 **名山乏侶，不解壁上芒鞋；好景無詩，虛懷囊中錦字。**

譯文 山水名勝，如果沒有知心伴侶同遊，也要任草鞋掛在牆壁上，不想拿下來穿；面對美好的風景，卻無法寫出一首好詩，就算帶着錦囊也是徒然。

原文 **遼水無極，雁山參雲。閨中風暖，陌上草薰。**

譯文 水面寬闊，橫無際涯，雁門山直入雲霄。閨中的風兒和煦溫暖，鄉間小道上的青草散發着清香。

原文 **秋露如珠，秋月如珪；明月白露，光陰往來；與子之別，思心徘徊。**

譯文 秋天的露水晶瑩剔透如同珍珠，秋天的月亮皎潔明亮如同珪玉；明月白露，交相輝映，忽明忽暗；與你分別，心中十分思念，來回徘徊。

原文 **聲應氣求之夫，決不在於尋行數墨之士；風行水上之文，決不在於一字一句之奇。**

譯文 心意相投的好友，絕對不必經由斟酌文字纔能互相瞭解；自然天

成的文章，絕對不在於一字或一句的晦澀奇特。

原文 **借他人之酒杯，澆自己之塊壘。**

譯文 借用別人的酒杯，來澆滅自己心中的激憤、不平。

原文 **春至不知湘水深，日暮忘卻巴陵道。**

譯文 春天來了，一片碧綠，無法知道湘水的深淺；日暮降臨，漆黑蒼茫，忘記了巴陵道有多長。

原文 **奇曲雅樂，所以禁淫也；錦繡黼黻，所以禦暴也。縟則太過，是以檀卿刺鄭聲，周人傷北里。**

譯文 奇妙的曲子、高雅的音樂陶冶心靈，所以要禁止低俗的音樂；絲織刺繡精美華麗，所以要預防奢侈。極爲繁瑣就會太過，因此魯人檀弓譏刺鄭國的靡靡之音，周人抨擊糜爛的北里。

原文 **靜若清夜之列宿，動若流彗之互奔。**

譯文 靜就要像清涼夜色中那些星宿一樣，動就要像疾逝而下的流星一樣。

原文 **振駿氣以擺雷，飛雄光以倒電。**

譯文 振奮士氣以擺弄雷，飛出雄光以超過閃電。

原文 **停之如棲鵠，揮之如驚鴻。飄纓蕤於軒幌，發暉曜於群龍。**

譯文 停下來要像棲息的天鵝一樣平靜，揮舞的時候要像受驚的鴻雁一樣充滿力量。帽子上的飾物就像門簾一樣隨風飄動，羽扇上面的群龍發出耀眼的光芒。

原文 **始緣甍而目棟，終開簾而入隙；初便娟於墀廡，末縈盈於帷席。**

譯文 光芒剛開始的時候沿着屋脊進而衝破了房屋的棟梁，最終從打開的簾子的縫隙中進來了；陽光最初映照在院落之中，後來就照耀到床幃和床席間。

原文 **雲氣蔭於叢著，金精養於秋菊；落葉半床，狂花滿屋。**

譯文 雲氣之蔭生於著草叢中，金精生養於秋菊之中；床上半床都是落葉，滿屋都是被狂風吹落的花瓣。

原文 **雨送添硯之水，竹供掃榻之風。**

譯文 雨送來了添加到硯臺中的水，竹林送來打掃床榻的風。

原文 **血三年而藏碧，魂一變而成紅。**

譯文 像伍員、萇弘這樣的忠義之臣的血珍藏三年而化成了碧玉，望帝的魂魄一變而成爲杜鵑，日日悲鳴直至嘴角流血仍然不止。

原文 **舉黃花而乘月豔，籠黛葉而捲雲嬌。**

譯文 手中高舉着黃花，借着明亮的月色，將鮮艷的花朵扎在頭上；用手攏一下烏黑的頭髮，挽起像雲朵一樣高高聳起的髮髻。

原文 **垂綸簾外，疑鉤勢之重懸；透影窗中，若鏡光之開照。**

譯文 在簾外的池子中垂釣，魚鉤下沉，懷疑被魚咬鉤了；池水透過窗戶反射的影子，就像是一面鏡子一樣照着。

原文 **疊輕蕊而矜暖，佈重泥而訝濕。跡似連珠，形如聚粒。**

譯文 雨滴重重迭迭地輕輕地包裹着花蕊，使花蕊看起來像很溫暖的樣子；雨滴落在厚厚的土地上，驚訝地發現它沾濕了土地。雨滴下落的行跡就像是串起來的珠子，形狀像是聚在一起的珠粒。

原文 **霄光分曉，出虛竇以雙飛；微陰合暝，舞低簷而並入。**

譯文 天剛蒙蒙亮的時候，鳥兒就從虛掩着的鳥巢中成雙成對地飛出；夜晚即將來臨的時候，鳥兒又在屋檐下飛舞着一同歸巢。

原文 **任他極有見識，看得假認不得真；隨你極有聰明，賣得巧藏不得拙。**

譯文 任憑他對事物有多少見解，卻常常衹看到假處，看不到眞處；不管你多麼機警聰明，往往衹能表現出巧妙之處，而藏不住背後的笨拙。

原文 **傷心之事，即懦夫亦動怒髮；快心之舉，雖愁人亦開笑顏。**

譯文 眞正讓人傷心的事，即使是懦夫，也會怒髮衝冠；大快人心的事情，即使是愁苦之人，也會喜笑顏開。

原文 **論官府不如論帝王，以佐史臣之不逮；談閨閫不如談豔麗，以補風人之見遺。**

譯文 討論官府之事不如討論帝王之事，以彌補修史之人的不足；談論閨閣之事不如談論才子佳人的艷事，以補充採風詩人的遺漏。

原文 **是技皆可成名天下，惟無技之人最苦；片技即足以自立天下，惟多技之人最勞。**

譯文 衹要是技能就可以聞名天下，那些沒有技能傍身的人最苦；些許技能就足夠自立於天下了，那些技能多的人最勞累。

原文 **傲骨、俠骨、媚骨，即枯骨可致千金；冷語、雋語、韻語，即片語亦重九鼎。**

譯文 狂傲之骨、俠義之骨、奉承阿諛之骨，即使是枯骨也可以價值千金；冷語、雋語、韻語，即使是隻言片語也可以一言九鼎。

原文 **書載茂先三十乘，便可移家；囊無子美一文錢，盡堪結客。**

譯文 像文學家張華那樣藏書達三十乘，便可以搬家了；像杜甫那樣囊中沒有一文錢，仍然可以結交賓客。

原文 **聖賢不白之衷，託之日月；天地不平之氣，託之風雷。**

譯文 聖賢的心境無法表白，將其託付給日月；天地間的不平之氣，將其託付給風雷。

原文 **風流易蕩，佯狂近顛。**

譯文 風流不羈容易變成放蕩，假裝瘋狂難免導致瘋癲。

原文 **有作用者，器宇定是不凡；有受用者，才情決然不露。**

譯文 有所作爲的人，必定是氣宇不凡的；對名利有所受用的人，必然是懷有才情卻深藏不露的。

原文 **松枝自是幽人筆，竹葉常浮野客杯。且與少年飲美酒，往來射獵西山頭。**

譯文 松枝自然會充當幽居隱士的筆，竹葉常常飄到山野之人的杯中。姑且與少年一起飲用美酒，然後到西山頭打獵。

原文 **好山當戶天呈畫，古寺爲鄰僧報鐘。**

譯文 美麗的青山正對門戶，呈現出一幅美麗的圖畫，與清幽的古寺相鄰，每天都能聽到僧人敲鐘報時。

原文 **瑤草與芳蘭而並茂，蒼松齊古柏以增齡。**

譯文 瑤草與芳蘭都十分茂盛，蒼松與古柏共同生長。

原文 **群鴻戲海，野鶴遊天。**

譯文 成群的大雁一起在大海上嬉戲，成群的仙鶴一起在天空中翱翔。

靈

原文 天下有一言之微，而千古如新；一字之義，而百世如見者，安可泯滅之？故風、雷、雨、露，天之靈；山、川、名、物，地之靈；語、言、文、字，人之靈。畢三才之用，無非一靈以神其間，而又何可泯滅之？集靈第四。

譯文 天下有像一句話那麼微小，留傳千古之後，聽來猶感覺新穎而毫不陳舊的；有一字的意義，百世之後讀它，還彷彿親眼看見一般眞實的，像這樣的言語，怎麼可以讓它們泯滅呢？風、雷、雨、露是天的靈氣；山、川、名、物是地的靈氣；語、言、文、字則是人的靈氣。仔細觀察天、地、人三才所呈現出來的種種現象，無非是一「靈」字使得它們神妙盡顯，我們豈可讓這個靈性消失、泯滅呢？於是編撰了第四集《靈》。

原文 **投刺空勞，原非生計；曳裾自屈，豈是交遊？**

譯文 呈遞自己的名刺前去拜見也衹是空勞，這原本也不是謀生之道；在王侯權貴門下做食客，這怎麼會是交友周遊呢？

原文 **事遇快意處當轉，言遇快意處當住。**

譯文 做事若遇到舒心快樂的事就應當調整轉移，說話若說到快意之時就應該打住。

原文 **儉爲賢德，不可著意求賢；貧是美稱，衹在難居其美。**

譯文 節儉是賢良的美德，但不可因爲人們稱讚，就刻意追求這種名聲；安貧往往爲人所讚美，衹是很少有人能安居貧窮。

原文 **志要高華，趣要淡泊。**

譯文 志向應該典雅華美，志趣應該淡泊恬靜。

原文 **眼裏無點灰塵，方可讀書千卷；胸中沒些渣滓，纔能處世一番。**

譯文 眼中沒有一點成見，纔可以廣涉衆籍；胸懷中對人、對事能不生不滿，處世纔能圓融。

原文 **眉上幾分愁，且去觀棋酌酒；心中多少樂，衹來種竹澆花。**

譯文 眉間有幾分愁意時，暫且去看人下棋，不然就淺酌幾杯；心中的歡樂，在種竹澆花中便能獲得。

原文 **茅屋竹窗，貧中之趣，何須腳到李侯門？草帖畫譜，閑裏所**

需，直憑心遊揚子宅。

【譯文】茅屋竹窗，貧困中自有樂趣，何須拜倒在李膺的門下呢？草書帖子、畫譜，這正是閑適生活所需的，正好遊心於揚雄的宅第。

【原文】**好香用以熏德，好紙用以垂世，好筆用以生花，好墨用以煥彩，好茶用以滌煩，好酒用以消憂。**

【譯文】好香用來熏陶美好的德行，好紙用來著書以流傳後世，好筆用來寫下美好的篇章，好墨用來描繪令人激賞的好畫，好茶用來滌除煩悶，好酒則用來消除憂愁。

【原文】**聲色娛情，何若淨几明窗一坐息頃；利榮馳念，何若名山勝景一登臨時？**

【譯文】縱情於聲色，還不如在潔淨的書桌和明亮的窗前坐一會兒；爲榮華富貴而意念紛馳，哪裏比得上登臨名山？

【原文】**竹籬茅舍，石屋花軒，松柏群吟，藤蘿翳景；流水繞戶，飛泉掛簷；煙霞欲棲，林壑將暝。中處野叟山翁四五，予以閑身，作此中主人。坐沉紅燭，看遍青山，消我情腸，任他冷眼。**

【譯文】竹子籬笆，茅草屋舍，石頭屋，開滿鮮花的長廊，風吹松柏，發出呼嘯之聲，藤蘿密密麻麻遮蔽了景色；流水繞過門前，如同飛泉掛在屋簷，煙霞好像要在此棲息一樣，林壑將要籠罩在晦暗之中。居住在山間的野老山翁四五相聚，我悠閑無事，做此山中的主人。坐看紅燭燃燒，遍覽青山，排遣我心中的情懷，任憑別人的冷眼。

【原文】**問婦索釀，甕有新芻；呼童煮茶，門臨好客。**

【譯文】向婦人索要釀酒喝，甕中正好有剛剛釀造好的；呼喚童子煮茶，家中有好友相訪。

【原文】**花前解佩，湖上停橈，弄月放歌，採蓮高醉；晴雲微嫋，漁笛滄浪，華句一垂，江山共峙。**

【譯文】花前月下相約，解佩相贈，湖上泛舟，停下划動的船槳，賞月高歌，水中採蓮，喝得大醉；晴朗的天空白雲朵朵，微風嫋嫋，魚笛聲聲，滄海碧浪，華麗的魚鈎一垂，江水與青山相對峙。

【原文】**胸中有靈丹一粒，方能點化俗情，擺脫世故。**

【譯文】胸中有一顆昭昭靈明之心，纔能變化心中的世俗之情，擺脫種種心機，超出世事。

原文 **獨坐丹房，瀟然無事，烹茶一壺，燒香一炷，看達摩面壁圖。垂簾少頃，不覺心靜神清，氣柔息定，濛濛然如混沌境界，意者揖達摩與之乘槎而見麻姑也。**

譯文 獨自坐在禪房中，清爽而無事，煮一壺茶，燃一炷香，欣賞達摩面壁圖。將眼睛閉上一會兒，不知不覺中，心變得十分平靜，神智也十分清楚，氣息柔和而穩定，這種感覺，仿佛回到了最初的混沌境界，就像拜見達摩祖師，和他一同乘着木筏渡水，見到了麻姑一般。

原文 **無端妖冶，終成泉下骷髏；有分功名，自是夢中蝴蝶。**

譯文 艷麗嫵媚的美人，終將成爲九泉之下的白骨；功名縱然有一份，無非是夢中之蝶，醒來盡成虛幻。

原文 **累月獨處，一室蕭條，取雲霞爲伴侶，引青松爲心知。或稚子老翁，閑中來過，濁酒一壺，蹲鴟一盂，相共開笑口，所談浮生閑話，絕不及市朝。客去關門，了無報謝，如是畢餘生足矣。**

譯文 連續數月獨居，雖然一屋子的冷清，卻有浮雲、彩霞做我的伴侶，青松當我的知心人。空閑時，老年人會帶着幼童過來拜訪，這時，我便以一壺濁酒、一盤大芋招待客人，聊的都是一些家常話，不談及朝廷方面的俗事。客人盡興離去，起身關門，不需報謝，如果能這樣過一輩子，我就心滿意足了。

原文 **茅簷外，忽聞犬吠雞鳴，恍似雲中世界；竹窗下，惟有蟬吟鵲噪，方知靜裏乾坤。**

譯文 茅屋外面，傳來幾聲犬吠雞鳴，讓人感覺好像到了遠離塵世的高遠之處；窗外衹有蟬鳴鵲唱，令人感覺到靜中的天地如此之大。

原文 **如今休去便休去，若覓了時無了時。若能行樂，即今便好快活。身上無病，心上無事，春鳥是笙歌，春花是粉黛。閑得一刻，即爲一刻之樂，何必情欲乃爲樂耶？**

譯文 衹要現在能夠停止，一切便能夠終止，如果想要等到事情都了盡纔停下來，那麼，永遠沒有了盡的時候。若能隨時行樂，立刻便可以獲得快樂。身體不生病，心中也無事牽掛，春天的鳥啼就是美妙的樂曲，春天的花朵便是天地間最美的妝飾。能得到一刻空閑，便能享受一刻的閑情樂趣，難道一定要在情欲中追求刺激纔能獲得快樂嗎？

原文 **開眼便覺天地闊，撾鼓非狂；林臥不知寒暑更，上床空算。**

譯文 張開眼睛就會覺得天地十分廣闊，即使是像禰衡裸身擊鼓辱罵曹操那樣的舉動也不是狂；卧居山林之中不知道天氣時節，即使是像陳登那樣的憂國忘家、懷有救世之意的人也衹能是白白籌算。

原文 **惟儉可以助廉，惟恕可以成德。**

譯文 衹有節儉可以助長廉潔，惟有寬恕可以成就德行。

原文 **山澤未必有異士，異士未必在山澤。**

譯文 山澤中未必有異士居住，異士未必居住在山澤中。

原文 **業淨六根成慧眼，身無一物到茅庵。**

譯文 一旦清淨了六根罪業，即具有照見世間萬物的慧眼，身上沒有一物的拖累，就如同在茅草庵裏修行一樣。

書香傳家

原文 **人生莫如閑，太閑反生惡業；人生莫如清，太清反類俗情。**

譯文 人生沒有什麼是比得上悠閑的，但是太閑的話反而生了惡業；人生沒有什麼是比得上明白的，太明白反而陷入世俗的情感。

禰衡裸衣罵曹操

原文 **「不是一番寒徹骨，怎得梅花撲鼻香？」念頭稍緩時，便宜莊誦一遍。**

譯文 「倘若沒有一番透骨的寒冷，怎麼能有梅花的清香撲鼻而來呢？」每當這種念頭稍微遲緩一些的時候，就應該莊重地朗誦一遍。

原文 **夢以昨日爲前身，可以今夕爲來世。**

譯文 倘若夢中把昨天視爲前身的話，那麼也可以把今天晚上稱爲來世。

原文 **讀史要耐訛字，正如登山耐仄路，踏雪耐危橋，閑居耐俗漢，看花耐惡酒，此方得力。**

譯文 讀史書要能忍受得了錯誤的字，就像登山要能忍耐山間的隘路，踏雪要能忍耐得了危橋，閑暇生活中要能忍受得了俗人，看花的時候要能忍受得了劣酒，如此纔能眞正進入史書的天地中。

原文 **世外交情，惟山而已。須有大觀眼，濟勝具，久住緣，方許與之莫逆。**

譯文 俗世之外的交情，衹有山而已。必須有能夠洞察一切的慧眼，能夠周遊山川名勝的強健體魄，能夠久居山中的緣分，這樣纔可以與山成爲莫逆之交。

原文 **九山散樵，浪跡俗間，徜徉自肆。遇佳山水處，盤礴箕踞，四顧無人，則划然長嘯，聲振林木。有客造榻與語，對曰：「余方遊華胥，接羲皇，未暇理君語。」客之去留，蕭然不以爲意。**

譯文 九州之名山都散佈着我採樵的足跡，在俗世間肆意徜徉。遇到好山好水，就兩腿前伸舒服地坐下，四下張望，沒人的話就對天長嘯，聲音在樹林間回蕩。每當有客人登門，與我談論，我就會說：「我正在周遊華胥之國，與伏羲氏暢談，沒有時間理會你的話。」客人的去留，全然不掛在心上。

原文 **擇池納涼，不若先除熱惱；執鞭求富，何如急遣窮愁？**

譯文 選擇在池邊乘涼，不如先滌除心中的極度苦惱；當一個執鞭之士，尋求富貴，怎麼比得上先排遣因貧窮而生的愁苦呢？

原文 **萬壑疏風清，兩耳聞世語，急須敲玉磬三聲；九天涼月淨，初心誦其經，勝似撞金鐘百下。**

譯文 在千山萬壑中傳來縷縷清風，倘若兩隻耳朵聽到塵世之言語，需要趕快敲擊幾下玉磬，消除這些干擾；天上懸掛着清冷皎潔的明月，在此境界中初發心願學習佛法的人念經誦佛，其效果勝似撞百下金鐘。

原文 **無事而憂，對景不樂，即自家亦不知是何緣故，這便是一座活地獄，更說甚麼銅床鐵柱，劍樹刀山也？**

譯文 沒什麼事卻煩惱不已，對着良辰美景一點也不快樂，連自己也不知道爲什麼會如此，這樣的人如同生活在地獄中一般，何必再說什麼地獄中的熱銅床、燒鐵柱，以及插滿劍的樹和插滿刀的山呢？

原文 **煩惱之場，何種不有，以法眼照之，奚啻蠍蹈空花！**

譯文 世間有種種的煩惱，但是，以佛的智慧來觀察，祇不過像是蠍子攀附在虛影上罷了！

原文 **上高山，入深林，窮回溪，幽泉怪石，無遠不到；到則披草而坐，傾壺而醉；醉則更相枕以臥，臥而夢。意有所極，夢亦同趣。**

譯文 登上高山，進入樹林深處，走盡回旋曲折的小溪，凡是有幽美的泉水和奇形怪狀的巖石之處，不論多遠，我們都要去；到了目的地，就撥開野草，席地而坐，倒出壺中的酒，盡情地喝；醉了以後，就互相枕靠着睡覺，躺下之後就開始做夢。意興所及之處，夢亦所及。

原文 **閉門閱佛書，開門接佳客，出門尋山水，此人生三樂。**

譯文 將門關起來閱讀佛經，開門迎接志趣相投的友人，出門尋找美好的山水，這是人生的三大樂事。

原文 **客散門局，風微日落，碧月皎皎當空，花陰徐徐滿地；近簷鳥宿，遠寺鐘鳴，茶鐺初熟，酒甕乍開；不成八韻新詩，畢竟一團俗氣。**

譯文 賓客散了之後，關閉大門，微風習習，夕陽已落，晴朗的天空懸掛着皎潔的明月，花兒的影子撒了一地；臨近的屋檐下鳥兒已經棲息，遠處傳來寺院的鐘聲，茶爐中剛剛煮好清茶，酒甕中的美酒剛剛啓封；在此種情韻景致下，不能寫出八韻新詩，畢竟還是俗氣。

原文 **不作風波於世上，自無冰炭到胸中。**

譯文 不對人世間的欲望作無盡的追求，既沒有受挫折時寒冷如冰的感覺，也沒有追求時熱烈如炭的心情。

原文 **秋月當天，纖雲都淨，露坐空闊去處。清光冷浸，此身如在水晶宮裏，令人心膽澄澈。**

譯文 秋月懸掛在晴空之中，沒有一絲雲彩，十分澄淨，迎着露水坐在空闊的地方。清涼的月色侵入骨髓，帶來陣陣寒意，就好像身在水晶宮中一樣，使人的心膽都變得十分澄淨清澈。

原文 **遺子黃金滿籯，不如教子一經。**

譯文 給子孫們留下滿竹籠的黃金，比不上教授子孫們一部經書。

原文 **凡醉各有所宜。醉花宜晝，襲其光也；醉雪宜夜，清其思也；醉得意宜唱，宣其和也；醉將離宜擊鉢，壯其神也；醉文人宜謹節奏，畏其侮也；醉俊人宜益觥盂加旗幟，助其怒也；醉樓宜暑，資其清也；醉水宜秋，泛其爽也。此皆審其宜，考其景，反此則失飲矣。**

譯文 大凡醉酒都需要有具體的情景與之相適應。賞花醉酒適合在白晝，可以借助白晝的光綫；賞雪醉酒適宜在夜裏，可以整理思緒；因得意而醉酒適合高歌，可以宣泄興奮之情而達致和諧；因即將離別而醉酒適宜擊鉢，可以增強其神色；文人吟詩醉酒適宜對節奏格外謹慎，可以避免不必要的侮辱；俊傑之士醉酒適宜增加酒器的旗號，可以助長豪放之氣；登樓遠望醉酒適宜在酷暑，可以使清爽之感更強烈；觀賞湖水而醉酒適宜在秋季，可以更爲涼爽。這些都是審時度勢，根據具體情況，考慮到具體情景而提出的，與此背道而馳，就會失去飲酒的樂趣。

原文 **竹風一陣，飄揚茶竈疏煙；梅月半灣，掩映書窗殘雪。**

譯文 竹林中吹來一陣清風，飄來了茶竈的幾縷稀疏的青煙；梅花開放，明月映照半彎村落，與書窗外的殘雪相掩映。

原文 **廚冷分山翠，樓空入水煙。**

譯文 廚房冷清，使得青山更爲蒼翠；樓閣空落，掩映在水面上的煙霧之中。

原文 **閑疏滯葉通鄰水，擬典荒居作小山。**

譯文 閑來無事的時候就疏通相鄰的水流，除去漂浮着的阻滯水流的落葉，想在此建一座荒野別居，以作在小山中遊覽的靜息之所。

原文 **聰明而修潔，上帝固錄清虛；文墨而貪殘，冥官不受詞賦。**

譯文 爲人既聰慧又有高潔的操行，上天自然就會錄用他到清虛之所；擅長行詩作文卻貪婪凶殘，即使是陰曹地府的判官也不會接受他的詞賦。

原文 **破除煩惱，二更山寺木魚聲；見澈性靈，一點雲堂優鉢影。**

譯文 聆聽二更時山中寺廟的木魚聲，煩惱爲之消失；看到佛堂裏的青蓮花，對本性和智慧都有了透徹的領悟。

原文 **興來醉倒落花前，天地即爲衾枕；機息坐忘磐石上，古今盡屬蜉蝣。**

譯文 興致來的時候，在落花之前醉倒，天地就是我的棉被和枕頭；放下機心，坐在大石上將一切忘懷，古今的一切紛擾，看來都像蜉蝣的生命一般短暫。

原文 **老樹着花，更覺生機鬱勃；秋禽弄舌，轉令幽興瀟疏。**

譯文 老樹開花，更覺得富有生機，秋天的禽鳥鳴叫，反而使得幽靜之意變得凄涼。

原文 **雪後尋梅，霜前訪菊，雨際護蘭，風外聽竹；固野客之閑情，實文人之深趣。**

譯文 在大雪之後尋找梅花，在秋霜來臨之前尋訪菊花，在大雨降臨之際呵護蘭花，在大風之外聆聽風吹竹葉之聲。這原本是隱逸之士的閑情，實際上也是文人墨客的雅趣。

原文 **結一草堂，南洞庭月，北峨眉雪，東泰岱松，西瀟湘竹；中具晋高僧支法八尺沉香床。浴罷溫泉，投床鼾睡，以此避暑，詎不樂也？**

譯文 搭建一草堂，南有洞庭水可以觀賞洞庭月色，北有峨眉山可以賞峨眉雪景，東面種上泰山之青松，西面種上瀟湘之竹；中間擺置晋代高僧的塔，擺放一張八尺長的沉香床。在溫泉中洗浴之後，躺在床上酣睡，這樣避暑，怎能不快樂呢？

原文 **人有一字不識，而多詩意；一偈不參，而多禪意；一勺不濡，而多酒意；一石不曉，而多畫意。淡宕故也。**

譯文 有的人一個字都不認識，卻很有詩意；一句佛偈都不去參透，卻饒富禪意；一滴酒也不沾唇，卻滿懷酒趣；一塊石頭也不觀察，卻滿眼畫意。這是因爲他悠閑自在的緣故。

原文 **以看世人青白眼轉而看書，則聖賢之真見識；以議論人雌黃口轉而論史，則左、狐之真是非。**

譯文 用看待世人的青眼與白眼來看書，就會具備聖人賢士的眞知灼見；用議論他人是非的雌黃之口來評論歷史，就會具有像左丘明、董狐這樣的良史的是非觀。

原文 **事到全美處，怨我者不能開指摘之端；行到至汙處，愛我者不能施掩護之法。**

譯文 做事做到極爲完美的境地，即使是怨恨我的人也找不到指摘我的借口；行事達到了極爲汙穢的境地，即使是愛我的人也不能實施掩護的方法。

原文 **必出世者，方能入世，不則世緣易墮；必入世者，方能出世，不則空趣難持。**

譯文 一定要有出世的襟懷，纔能深入世間，否則，在塵世中便易因受種種攀纏而墮落；一定要深入世間，纔能眞正地出世，否則，就不容易長久地待在空的境界裏。

原文 **調性之法，急則佩韋，緩則佩弦；諧情之法，水則從舟，陸則從車。**

譯文 調整個性的方法，性子急的人就在身上佩戴熟韋以告誡自己不可過於急躁，性子緩的人就在身上佩戴弓弦以告誡自己要積極行事；調適性

情的方法，要像在水上坐船、在陸地乘車一般自然，纔能適才適性。

原文 **才人之行多放，當以正斂之；正人之行多板，當以趣通之。**

譯文 有才氣的人行爲多疏放而不受約束，應當以正直來收斂他；太過正直的人大多不知變通，應當以趣味使他的個性融通些。

原文 **人有不及，可以情恕；非義相干，可以理遣。佩此兩言，足以遊世。**

譯文 人有不足或做不到的地方，從情理上而言可以寬恕；倘若不是關係到大是大非的道義之事，可以通過道理來譴責他。與這兩句話相伴，就足以在世間立足。

原文 **冬起欲遲，夏起欲早；春睡欲足，午睡欲少。**

譯文 冬天應該晚起，夏天應該早起，春天應該睡足，午後應該少睡。

原文 **無事當學白樂天之嗒然，有客宜仿李建勳之擊磬。**

譯文 沒事的時候應該學學白居易物我兩忘的心境，有客人來訪的時候應該仿效李建勳以擊磬聲洗耳。

原文 **郊居，誅茅結屋，雲霞棲梁棟之間，竹樹在汀洲之外；與**

二三之同調，望衡對宇，聯接巷陌；風天雪夜，買酒相呼；此時覺曲生氣味，十倍市飲。

譯文 居住在郊外山野，修剪茅草搭建茅屋，棟梁之間雲霞繚繞，在汀洲之外栽種竹林；與兩三個志趣相投的朋友，門戶房屋相對，小道巷陌相連接；在狂風大雪的天氣，買來美酒，呼喊朋友，一起暢飲；此時就會感覺酒味要比市井酒肆裏的好上十倍。

原文 **萬事皆易滿足，惟讀書終身無盡；人何不以不知足一念加之書？又云：讀書如服藥，藥多力自行。**

譯文 世間萬事都容易滿足，衹有讀書一事是一生也沒有止境的；人爲什麼不以不知滿足的念頭來讀書呢？又有人說：讀書就像是喝藥一樣，藥喝得多了藥力自然就增強了。

原文 **醉後輒作草書十數行，便覺酒氣拂拂，從十指出也。**

譯文 喝醉酒之後寫下數十行草書，就會覺得酒氣上涌昇騰，從十指中透出，滲入到字體之中。

原文 **書引藤爲架，人將薜作衣。**

譯文 書應該放在用藤條編製的書架之中，隱士應該穿薜蘿製成的衣服。

原文 **從江干溪畔，箕踞石上，聽水聲浩浩潺潺，粼粼泠泠，恰似一部天然之樂韻，疑有湘靈在水中鼓瑟也。**

譯文 在江邊和溪岸的石上前伸雙腿而坐，聆聽着水聲，時而聲勢浩大，時而低如耳語，有時聲音清澈，有時卻沉默寂靜，就好像一首大自然的樂曲，不禁令我懷疑，是否有湘水之神在水中彈奏她的錦瑟。

原文 **鴻中疊石，未論高下，但有木陰水氣，便自超絕。**

譯文 大水中重重疊疊的石頭，不論高低，衹要是有樹木成蔭、水氣繚繞，其景致自然就會美妙絶倫。

原文 **段由夫攜琴就松風澗響之間，曰三者皆自然之聲，正合類聚。**

譯文 段由夫攜帶着琴瑟，在臨近松濤陣陣、水流潺潺的地方鼓瑟，並感嘆道：風聲、水聲、瑟聲都是自然之音，與物以類聚的法則正吻合。

原文 **高臥閑窗，綠陰清晝，天地何其寥廓也。**

譯文 閑適地高卧在窗下，窗前是一片綠蔭，雖是在白晝，依然很清涼，天地之間是多麼遼闊啊。

琴韻悠遠

原文 **少學琴書，偶愛清淨，開卷有得，便欣然忘食；見樹木交映，時鳥變聲，亦復歡然有喜。常言：五六月，臥北窗下，遇涼風暫至，自謂羲皇上人。**

譯文 年少之時就學習琴瑟，練習書法，偶爾喜歡清靜，看書有所收獲之時，就會非常高興，以至於沉迷其中忘記了吃飯；看到樹木交錯成蔭，與周圍景色相互輝映，還時時聽到鳥兒各種各樣的鳴叫，也會十分快樂歡喜。常言說：五六月的時候，高臥在北窗之下，吹來習習涼風，舒適愜意，此時可以自認爲是伏羲上人了。

原文 **空山聽雨，是人生如意事。聽雨必於空山破寺中，寒雨圍爐，可以燒敗葉，烹鮮筍。**

譯文 在空靜的山中聆聽雨聲，是人生的一大樂事。聆聽雨聲一定要在空靜的青山、破舊的寺院中，在透着絲絲寒意的雨天圍着爐火，燃燒山中的枯枝敗葉，烹調新鮮的竹筍。

原文 **鳥啼花落，欣然有會於心。遣小奴，挈瘦樽，酤白酒，釂一梨花瓷盞；急取詩卷，快讀一過以咽之，蕭然不知其在塵埃間也。**

譯文　聽到鳥啼，見到花落，心中有所領悟而感到十分歡喜。立刻叫小童帶着酒瓮買回白酒，以梨花酒杯飲下一杯；並馬上取來詩卷，迅速地讀過，當成下酒的美味，這時胸中清爽快意，彷彿不在人間。

原文　**閉門即是深山，讀書隨處淨土。**

譯文　關起門來，就像是住在深山中一樣；能讀書，則處處都是淨土。

原文　**千巖競秀，萬壑爭流，草木蒙蘢其上，若雲興霞蔚。**

譯文　成千上萬的高巖山峰競展秀姿，成千上萬的溝壑溪流競相流淌，草木繁茂，朦朦朧朧，就好像白雲彩霞昇騰飄蕩一樣。

原文　**從山陰道上行，山川自相映發，使人應接不暇；若秋冬之際，猶難爲懷。**

譯文　從樹木成蔭的山間小道上行走，自然會發現青山白川相互輝映，讓人感覺到美景應接不暇；倘若是在秋冬季節，更是讓人不能忘懷。

原文　**欲見聖人氣象，須於自己胸中潔淨時觀之。**

譯文　想要看見聖人氣象，必須在自己心中潔淨時。

原文　**箕踞於斑竹林中，徙倚於青磯石上；所有道笈梵書，或校讎四五字，或參諷一兩章。茶不甚精，壺亦不燥，香不甚良，灰亦不死；短琴無曲而有弦，長謳無腔而有音。激氣發於林樾，好風逆之水涯，若非羲皇以上，定亦嵇、阮之間。**

譯文　兩腿前伸肆意舒展地坐在斑竹林中，流連在青磯石上；任意翻閱一些道家佛家的經書，或者校對四五個錯字，或者參悟評議其中的一兩章經文。所飲之茶不需要多麼好，茶壺也不一定要很燙，焚燒的香不需要太好，衹要香火不斷香灰不冷就好；彈奏短琴不需要按照固定的曲調，衹要優美就好，放聲高歌不需要規範的腔調，衹要是心靈之音就行。樹林中激蕩着意氣，和煦的清風吹拂着水面，倘若不是伏羲氏時代，就必定是嵇康、阮籍的時代。

原文　**聞人善則疑之，聞人惡則信之，此滿腔殺機也。**

譯文　聽到別人做了善事，就懷疑他的動機，聽到他人做了壞事，卻十分相信，心中充滿恨意和不平的人纔會如此。

原文　**士君子盡心利濟，使海內少他不得，則天亦自然少他不得，即此便是立命。**

譯文 一個有道德的人，衹要盡自己的心意去利物濟人，使一國之內少不得他，那麼，上天自然也需要他，這便是修身養性以奉天命。

原文 **讀書不獨變氣質，且能養精神，蓋理義收攝故也。**

譯文 讀書，不僅僅會改變人的氣質，還能培養人的精神修養，大概是因爲讀書可以使人以理義收攝心志、消除雜念的緣故。

原文 **周旋人事後，當誦一部《清靜經》；弔喪問疾後，當念一通《扯淡歌》。**

譯文 周旋於人事、應酬之間，應當誦讀一部使人心靈清凈的《清靜經》；悼念喪事、探問病人之後，應當念一通《扯淡歌》。

原文 **卧石不嫌於斜，立石不嫌於細，倚石不嫌於薄，盆石不嫌於巧，山石不嫌於拙。**

譯文 平躺着的石頭不嫌傾斜，豎立的石頭不嫌細小，倚靠着的石頭不嫌太薄，盆中的石頭不嫌小巧，山中的石頭不嫌笨拙。

原文 **雨過生涼境閑情，適鄰家笛韻，與晴雲斷雨逐聽之，聲聲入肺腸。**

譯文 雨過之後生出層層涼意，環境清幽閑適，情趣盎然，適逢鄰家牧童笛兒聲聲，與初晴後天空飄浮的雲彩、斷斷續續的雨相應和，細細聽來，聲聲入心。

原文 **不惜費，必至於空乏而求人；不受享，無怪乎守財而遺誚。**

譯文 倘若不節儉費用，必定會落到窮困不堪，求人施捨幫助的地步；生活富裕而不會享受，難怪會成爲守財奴，而留下被人譏笑的笑柄。

原文 **園亭若無一段山林景況，衹以壯麗相炫，便覺俗氣撲人。**

譯文 修建園林亭臺，倘若沒有一段山林景致，衹依靠壯麗相炫耀，就會使人覺得俗氣撲面而來。

原文 **餐霞吸露，聊駐紅顏；弄月嘲風，閑銷白日。**

譯文 饗雲霞，喝甘露，以此暫且保養紅顏，使青春駐足；玩賞吟詠風月，閑暇之時以此消磨時光。

原文 **清之品有五：睹標緻，發厭俗之心，見精潔，動出塵之想，名曰「清興」；知蓄書史，能親筆硯，佈景物有趣，種花木有方，名曰「清致」；紙裹中窺錢，瓦瓶中藏粟，困頓於荒野，擯棄乎血屬，**

名曰「清苦」；指幽僻之耽，誇以爲高，好言動之異，標以爲放，名曰「清狂」；博極今古，適情泉石，文韻帶煙霞，行事絕塵俗，名曰「清奇」。

譯文　「清」這一品性包含五種境界：目睹標緻美麗之物，產生厭惡世俗之心，看到景緻簡潔之物，萌生脫離煩惱的想法，這稱之爲「清興」；知道收藏經書、史書，能夠親近筆硯，景物的設置富有情趣，栽種花木有好的方法，這稱之爲「清致」；在廢紙之中窺探錢幣，在碎瓦舊瓶之中儲藏米粟，困頓地生活在荒野之中，被親人所摒棄，這稱之爲「清苦」；把愛好清幽僻靜這種癖好誇稱爲高雅，把說話做事喜歡標新立異的癖好標榜爲狂放不羈，這稱之爲「清狂」；博古通今，適情於泉水幽石，詩詞帶有煙霞之韻致，行事超凡脫俗，這稱之爲「清奇」。

原文　**對棋不若觀棋，觀棋不若彈瑟，彈瑟不若聽琴。古云：「但識琴中趣，何勞弦上音。」斯言信然。**

譯文　與人下棋不如在一旁觀棋，觀棋不如自己彈瑟，自己彈瑟不如聽人彈琴。古人說：「但凡是能夠辨識琴中趣味的，何勞自己彈奏弦上之音。」

這種言論使人信服。

原文　**弈秋往矣，伯牙往矣，千百世之下，止存遺譜，似不能盡有益於人。唯詩文字畫，足爲傳世之珍，垂名不朽。總之身後名，不若生前酒耳。**

譯文　擅長下棋的弈秋已經去世了，善於彈琴的俞伯牙也已經作古了，千百年後的當今衹保存了他們遺留下來的棋譜與琴譜，似乎也已經不能完全爲世人所用了。衹有詩文字畫，足以成爲傳世之寶，名垂千古而不朽。然而總體而言身後之名不如生前的美酒。

原文　**君子雖不過信人，君子斷不過疑人。**

譯文　君子雖然不會輕易過分相信別人，但君子也斷然不會輕易過分懷疑別人。

原文　**人衹把不如我者較量，則自知足。**

譯文　人如果能同不如自己的人相比較，就能夠自我滿足了。

原文　**折膠鑠石，雖累變於歲時；熱惱清涼，原衹在於心境。所以佛國都無寒暑，仙都長似三春。**

譯文　寒冷的天氣與炎熱的天氣，每年都要隨着季節變換；心中清涼，衹在於心境。所以佛國沒有寒暑，仙都四季如春。

原文　**鳥棲高枝，彈射難加；魚潛深淵，網釣不及；士隱巖穴，禍患焉至？**

譯文　鳥棲在最高的樹枝上，彈弓難以打到它；魚潛在水深的地方，漁網難以捕獲它；有學問的人隱居在巖窟裏，禍害哪裏會降臨在他身上呢？

原文　**於射而得揖讓，於棋而得征誅；於忙而得伊、周，於閑而得巢、許；於醉而得瞿曇，於病而得老莊；於飲食衣服、出作入息，而得孔子。**

譯文　在射禮之中學會揖讓，在下棋中學會征討誅殺；在繁忙之中懂得了商朝的伊尹和周代的周公的繁忙，在閑適中理解了巢父、許由；在醉酒之後懂得了佛祖釋迦牟尼的學說，在生病之時懂得了老莊哲學，在飲食穿衣、勞作休息中，理解了孔子的學說。

原文　**前人云：「晝短苦夜長，何不秉燭遊？」不當草草看過。**

譯文　古人說：「白天短夜晚漫長，何不秉燭夜遊呢？」不應該草草看過就算了。

原文　**優人代古人語，代古人笑，代古人憤，今文人爲文似之。優人登臺肖古人，下臺還優人，今文人爲文又似之。假令古人見今文人，當何如憤，何如笑，何如語？**

譯文　唱戲的扮成古人，代替古人講話，代替古人笑，甚至替古人生氣，現在的讀書人寫文章就仿佛如此。唱戲的在戲臺上很像古人，但是一下了戲臺，又恢復優人的身份了，現在的讀書人寫文章又和這點很相似。假使讓古人見到現在的讀書人，眞不知他們要如何生氣，如何笑，如何講話？

原文　**看書衹要理路通透，不可拘泥舊說，更不可附會新說。**

譯文　看書貴在能將書中的道理貫通透徹，不可受舊有學說的限制而不知變通，更不可在對新學說還未十分了解時，就盲目地信從。

原文　**簡傲不可謂高，諂諛不可謂謙，刻薄不可謂嚴明，闒茸不可謂寬大。**

譯文　不可把輕忽傲慢誤爲高明，也不可將阿諛諂媚視爲謙讓，待人刻薄不能稱之爲嚴明，也不能視人格低劣爲心胸寬大。

原文 **作詩能把眼前光景，胸中情趣，一筆寫出，便是作手，不必說唐說宋。**

譯文 寫詩的人若能把眼前所看到的情景，以及胸中的情意趣味一筆表現出來，便算是寫詩的高手，不必引經據典，說唐道宋。

原文 **少年休笑老年顛，及到老時顛一般。祇怕不到顛時老，老年何暇笑少年？**

譯文 年輕人不要嘲笑老年人的瘋癲胡塗，等到自己年老之時也會一樣瘋癲胡塗。祇害怕還沒有變胡塗就已經年邁體衰了，老年的時候哪裏還有時間嘲笑少年？

原文 **打透生死關，生來也罷，死來也罷；參破名利場，得了也好，失了也好。**

譯文 超越了生死的界限，活就能活得自在，死也能死得自在；看破了名利爭逐的虛妄，就會覺得，得到了也好，失去了也好。

原文 **混跡塵中，高視物外；陶情杯酒，寄興篇詠；藏名一時，尚友千古。**

譯文 在塵世中安置自己的形跡，眼光卻超出世間的物累；在酒杯中得到了無比的樂趣，在詩篇歌詠中寄託了自己的意興；暫且隱匿自己的聲名，祇要在精神上能與古人爲友。

原文 **癡矣狂客，酷好賓朋；賢哉細君，無違夫子。醉人盈座，簪裾半盡；酒家食客滿堂，瓶甕不離米肆。燈燭熒熒，且耽夜酌；爨煙寂寂，安問晨炊？生來不解攢眉，老去彌堪鼓腹。**

譯文 癡迷狂放的人，往往特別喜歡結交賓客；賢惠的婦人，從來不會違背丈夫。滿座都是喝醉酒的人，頭飾衣襟都半開着；酒店客人滿堂，裝米的瓶甕一直沒有離開過米肆。在昏暗的燭光下，依然暫時沉醉在夜飲之中；炊煙沒有昇起一絲，爲何非要詢問早餐呢？生來就不懂攢眉發愁是什麼滋味，老了更應該悠閑舒適地生活。

原文 **皮囊速壞，神識常存，殺萬命以養皮囊，罪卒歸於神識。佛性無邊，經書有限，窮萬卷以求佛性，得不屬於經書。**

譯文 我們的身體很快就會朽壞，但是，藏識之中的業債卻始終還不清，宰殺動物來養活臭皮囊的業債，將全部藏納到我們的藏識中，使我們將來受果報。我們的覺悟本性是無邊無際的，而經書中衹是一些有限的文字而已，窮究萬卷經書來求佛性，一旦得到了，將會發現，經書衹是方法，而不是佛性本身。

原文 **人勝我無害，彼無蓄怨之心；我勝人非福，恐有不測之禍。**

譯文 他人勝過我，則沒有什麼害處，因爲他不會因我蓄積忌恨；我勝過他人，就不見得是自己的福氣了，恐怕會有難以預測的災禍發生。

原文 **書屋前，列曲檻栽花，鑿方池浸月，引活水養魚；小窗下，焚清香讀書，設淨几鼓琴，捲疏簾看鶴，登高樓飲酒。**

譯文 在書屋的前面，設置彎曲的柵欄以栽種花草，鑿出一片方形池塘，讓月亮的倒影浸入其中，引來泉水養些小魚；坐在小窗下，在焚燒着清香的屋子中讀書，設置潔淨的几案彈琴，捲起稀疏的簾子看窗外的野鶴，登上高樓迎風飲酒。

原文 **人人愛睡，知其味者甚鮮；睡則雙眼一合，百事俱忘，肢體皆適，塵勞盡消，即黃粱南柯，特餘事已耳。靜修詩云：「書外論交睡最賢。」旨哉言也。**

譯文 每個人都愛睡覺，可是知道其中妙韻的卻很少；睡覺就閉上雙眼，忘記了世間一切事情，伸展四肢使之十分舒適，塵世的疲勞全部都消除了，至於做一下像黃粱、南柯這樣的美夢，那倒是其次。靜修先生有詩云：「除了書本以外，我與睡覺的交情最好。」這眞是高論。

原文 **過分求福，適以速禍；安分速禍，將自得福。**

譯文 過分地求福，將使禍事加速降臨；對於突發的災禍安然處之，自然能夠逢凶化吉。

原文 **倚勢而凌人者，勢敗而人凌；恃財而侮人者，財散而人侮。此循環之道。**

譯文 仗勢欺人的人，一旦失去勢力必定被人欺凌；仰仗自己的錢財而凌辱別人的人，一旦錢財散盡必定被人凌辱。這是自然循環之道。

原文 **我爭者，人必爭，雖極力爭之，未必得；我讓者，人必讓，雖極力讓之，未必失。**

譯文 我想要爭取的，別人必定也會想要爭取，雖然盡力爭取它，最終卻不一定會得到；我謙讓的，別人必定也會謙讓，雖然竭力謙讓，未必就會失去。

原文 **貧不能享客，而好結客；老不能徇世，而好維世；窮不能買書，而好讀奇書。**

譯文 貧困之人不能款待客人，使之盡情享受，但是卻往往喜好結交朋友；老人不能依順世俗，卻往往喜好維持世間原本的秩序；窮人買不起書，但是卻往往特別喜歡讀奇書。

原文 **滄海日，赤城霞，峨眉雪，巫峽雲，洞庭月，瀟湘雨，彭蠡煙，廣陵濤，廬山瀑布，合宇宙奇觀，繪吾齋壁；少陵詩，摩詰畫，左傳文，馬遷史，薛濤箋，右軍帖，南華經，相如賦，屈子離騷，收古今絕藝，置我山窗。**

譯文 滄海的日出，赤城的紅霞，峨眉山的積雪，巫峽的白雲，洞庭湖的明月，瀟湘的雨，彭蠡的煙霧，廣陵的波濤，廬山的瀑布，集合了天地間所有的美景奇觀，來描繪我書齋的牆壁；杜甫的詩，王維的畫，左丘明的《左傳》，司馬遷的《史記》，薛濤的詩箋，王羲之的書帖，莊子的《南華經》，司馬相如的賦，屈原的《離騷》，收羅古今絕妙的藝術，放置在我山居的窗前。

原文 **偶飯淮陰，定萬古英雄之眼；醉題便殿，生千秋風雅之光。**

譯文 漂母偶然間施飯於韓信之時，已經具備了識別萬古英雄的慧眼；李白醉酒之後在便殿題寫詩文，生成了千秋的風雅之光。

原文 **清閑無事，坐臥隨心，雖粗衣淡食，自有一段真趣；紛擾不寧，憂患纏身，雖錦衣厚味，衹覺萬狀愁苦。**

譯文 清閑自在，要坐要躺隨自己的心意，雖然穿的是粗布做的衣服，吃的是沒有佐料的淡飯，卻覺得有滋有味；至於那些憂愁煩惱而患得患失的人，雖然穿的是錦衣，吃的是美味，卻覺得萬事皆苦。

原文 **我如爲善，雖一介寒士，有人服其德；我如爲惡，雖位極人臣，有人議其過。**

譯文 我倘若行善的話，雖然衹是一介貧寒書生，也會有人敬佩我的德行；我如果行惡的話，即使位居高官將相，也會有人議論我的過錯。

原文 **讀理義書，學法帖字；澄心靜坐，益友清談；小酌半醺，澆花種竹；聽琴玩鶴，焚香煮茶；泛舟觀山，寓意弈棋。雖有他樂，吾**

不易矣。

譯文 讀理義之書，學習書法臨摹字帖；澄清心境，靜心安坐，與好友清談；小酌幾杯，半醉半醒，在園中澆灌花木，栽種竹子；聆聽琴聲，觀賞鶴舞，焚燒香木，烹煮香茗；水上泛舟，觀覽青山，寄寓情思，與人對弈。雖然世間還有別的快樂，但我不願意與之交換。

原文 **成名每在窮苦日，敗事多因得志時。**

譯文 一個人成名往往是在過窮苦日子的時候，失敗則是在志得意滿之時。

原文 **寵辱不驚，肝木自寧；動靜以敬，心火自定；飲食有節，脾土不泄；調息寡言，肺金自全；怡神寡欲，腎水自足。**

譯文 受到恩寵、遭到侮辱都不驚慌，肝木自然就會安寧；無論做事還是靜處都以一種恭敬之心對待，心中之火自然會平和；飲食有一定的節制，脾土自然就不會泄露；調養氣息少說話，肺金自然就會保全；怡情悅性，清心寡欲，腎水自然就會充足。

原文 **讓利精於取利，逃名巧於邀名。**

譯文 將利益讓給他人，比和他人爭奪利益更爲明智；逃避聲名，比求取聲名更爲聰明。

原文 **彩筆描空，筆不落色，而空亦不受染；利刀割水，刀不損鍔，而水亦不留痕。**

譯文 用彩筆在空中描繪，筆沒有着色，空氣也不會染色；用鋒利的刀割斷水面，刀刃不會被磨損，水也不會留下什麼痕跡。

原文 **唾面自乾，婁師德不失爲雅量；睚眦必報，郭象玄未免爲禍胎。**

譯文 被人唾吐到臉上不擦掉，任其自然風乾，婁師德這樣很有雅量；一點點的嫌隙必定也要報復，像郭象玄這樣的做法不免爲日後種下禍根。

原文 **天下可愛的人，都是可憐人；天下可惡的人，都是可惜人。**

譯文 天下值得去愛的人，往往都十分可憐；而那些人人厭惡的人，又常常讓人覺得十分可惜。

原文 **事業文章，隨身銷毀，而精神萬古如新；功名富貴，逐世轉移，而氣節千載一日。**

譯文　事業、文章隨着身體的毀滅也都將毀滅，但是人的精神卻可以萬古如新；功名利祿、榮華富貴，隨着時勢的變化而轉移，但是人的氣節卻可以千年不變。

原文　**讀書到快目處，起一切沉淪之色；說話到洞心處，破一切曖昧之私。**

譯文　讀書讀到趣味盎然處，能掃除一臉的消沉之色；說話達到無話不談的地步，能打破所有內心深處的曖昧私念。

原文　**諧臣媚子，極天下聰穎之人；秉正嫉邪，作世間忠直之氣。**

譯文　曲意獻媚的小人極盡天下聰穎乖巧之能事；正直嫉惡的人秉承世間忠正耿直的風氣。

原文　**聞謗而怒者，讒之囮；見譽而喜者，佞之媒。**

譯文　聽到毀謗而發怒，是進讒的媒鳥；見到贊譽而喜悅，是諂媚的媒介。

原文　**攤燭作畫，正如隔簾看月，隔水看花，意在遠近之間，亦文章法也。**

譯文　擺上蠟燭畫畫，就好像是隔着窗簾看月亮，隔着水看花，意境在於遠近之間，這也是寫文章的法則。

原文　**藏錦於心，藏繡於口；藏珠玉於咳唾，藏珍奇於筆墨；得時則藏於冊府，不得則藏於名山。**

譯文　錦繡般的好文章藏在心間、口中；珠玉珍奇般的語句藏於吟詠、筆端；倘若時機成熟，就寫出來收藏在冊府之中，倘若不合時宜，就寫出來藏在名山之中。

原文　**讀一篇軒快之書，宛見山青水白；聽幾句伶俐之語，如看嶽立川行。**

譯文　朗讀一篇曉暢輕快的文章，就好像是見到青山綠水一樣，使人心情愉悅；聽到幾句伶俐精辟的言語，就如同是看到靜立的山嶽、流淌的溪水一樣，使人精神振奮。

原文　**讀書如竹外溪流，灑然而往；詠詩如蘋末風起，勃焉而揚。**

譯文　讀書就好像是竹林外的溪流一樣，非常灑脫地前行；吟詠詩歌就好像是青蘋之末的風一樣，瞬間勃發激揚飄蕩。

原文 **子弟排場，有舉止而謝飛揚，難博纏頭之錦；主賓御席，務廉隅而少蘊藉，終成泥塑之人。**

譯文 梨園子弟開場，要行爲舉止得體而不張揚誇張，否則很難贏得纏頭的羅錦；主要的賓客入席，一定要神情莊重，行爲端莊，而不要含而不露，否則終究會成爲泥偶一樣的人。

原文 **取涼於箑，不若清風之徐來；激水於槔，不若甘雨之時降。**

譯文 以扇子取涼，不如慢慢吹拂的清風；用槔到井中汲水，不如上天及時降下的雨水。

原文 **有快捷之才，而無所建用，勢必乘憤激之處，一逞雄風；有縱橫之論，而無所發明，勢必乘簧鼓之場，一恣餘力。**

譯文 懷有快捷之才，卻沒有什麼用武之地，勢必會借憤激之處，一逞雄風；懷有經世的縱橫之才，卻沒有施展宏論之地，勢必會乘借時機場合竭盡全力巧舌如簧地搬弄是非。

原文 **月榭憑欄，飛淩縹緲；雲房啓戶，坐看氤氳。**

譯文 在賞月的臺榭上憑欄倚靠，心思已飛向那恍惚有無之境；打開山

居的門扉，坐看山間彌漫無盡的雲煙變幻。

原文 **李納性辨急，酷尚弈棋，每下子，安詳極於寬緩。有時躁怒，家人輩密以棋具陳於前，納睹便欣然改容，取子佈算，都忘其恚。**

譯文 唐代的李納性情非常急躁，但十分喜歡下棋，下棋時每落一個子，神態都極爲安詳，動作舒緩。有時急躁想要發怒的時候，家裏人就趕快悄悄地把棋放在他面前，李納看到了棋就會變得高興起來，臉色也會平緩，拿着棋子佈局謀劃，什麼煩惱憤怒都忘記了。

原文 **竹裏登樓，遠窺韻士，聆其談名理於坐上，而人我之相可忘；花間掃石，時候棋師，觀其應危劫於枰間，而勝負之機早決。**

譯文 在竹林中登上高樓，遠遠地窺測雅士，在座前聆聽他們談論名理，很可能就會忘記了他人和自己的存在；在一片鮮花中打掃石板，不時等待棋師，觀看他們在棋盤上應對危難浩劫，其勝負早已決出。

原文 **六經爲庖廚，百家爲異饌；三墳爲瑚璉，諸子爲鼓吹；自奉得無大奢，請客未必能享。**

譯文 把儒家的六經當成廚子，把百家的學說當成珍奇的佳肴；把上古

伏羲、神農、黃帝三人的書當成治國安邦的重器，把先秦時期諸子的學說當成輔佐；自己也許覺得不是很奢侈，但是請客人前來享用，客人未必能夠消受。

原文 **說得一句好言，此懷庶幾纔好；攬了一分閑事，此身永不得閑。**

譯文 說了一句好話，內心大概纔會舒坦一些；攬了一件閑事，一生都不得安閑。

原文 **古人特愛松風，庭院皆植松，每聞其響，欣然往其下，曰：「此可浣盡十年塵胃。」**

譯文 古人特別喜愛松林中的清風，在庭院中都栽種上松樹，每當聽到松風聲，就欣然地來到松樹之下，說：「這可以洗掉數十年來脾胃上沾染的所有世俗之塵。」

原文 **凡名易居，祇有清名難居；凡福易享，祇有清福難享。**

譯文 世間的凡俗聲名容易獲取，惟有清雅之名難以獲取；世間的福氣容易享受到，祇有清福很難享受到。

松風

原文 **賀蘭山外虛兮怨，無定河邊破鏡愁。**

譯文 遠赴邊疆到了賀蘭山以外，往往生死難料，留下空怨；到了無定河岸邊，夫妻離別之後，很難破鏡重圓。

原文 **有書癖而無剪裁，徒號書廚；惟名飲而少蘊藉，終非名飲。**

譯文 有愛讀書的癖好，卻對知識無所取舍和選擇，這種人不過像藏書的書櫥罷了；衹具備飲酒之名，卻不懂飲酒時含蓄不盡的意味，終不能算是能飲之人。

原文 **飛泉數點雨非雨，空翠幾重山又山。**

譯文 飛流直下的瀑布外飄蕩着數點雨，卻又不是雨，放眼遙望，幾重蒼翠的青山，山外還是山。

原文 **夜者日之餘，雨者月之餘，冬者歲之餘。當此三餘，人事稍疏，正可一意問學。**

譯文 夜晚是一天所剩餘的時間，下雨天是一月所剩餘的時間，冬天則是一年所剩餘的時間。在這三種空閑時間裏，人事來往較不頻繁，正好能用來專心一意地讀書。

原文 **樹影橫床，詩思平淩枕上；雲華滿紙，字意隱躍行間。**

譯文 樹影橫斜在床上，腦中詩興大發；寫下滿紙的妙語，字裏行間滲透着詩意。

原文 **耳目寬則天地窄，爭務短則日月長。**

譯文 心中欲望過多就會覺得天地狹窄，少一點爭名奪利就會覺得歲月悠久。

原文 **秋老洞庭，霜清彭澤。**

譯文 洞庭湖上的秋色更加蕭瑟，鄱陽湖邊的寒霜更加清冷。

原文 **韶光去矣，嘆眼前歲月無多，可惜年華如疾馬；長嘯歸輿，知身外功名是假，好將姓字任呼牛。**

譯文 美好的青春已經流逝，感嘆眼前剩下的時光不多了，歎息時光年華如同疾馳的駿馬；仰天長嘯歸隱之後，纔知道身外的功名利祿都是假的，任憑別人呼喊我的姓名像呼喊牛馬一樣不會在意。

原文 **意慕古，先存古，未敢反古；心持世，外厭世，未能離世。**

譯文 羨慕古人，就應先保存古人的特點，不敢反對古人；心中想要保持當世之道，外表卻表現出對世間的厭棄，就會無法出世。

原文 **苦惱世上，度不盡許多癡迷漢，人對之腸熱，我對之心冷；嗜欲場中，喚不醒許多伶俐人，人對之心冷，我對之腸熱。**

譯文 在充滿苦惱煩悶的世間，普度不完那麼多癡迷的人，人們以一副熱心腸相待，我卻以冷心腸相待；利欲場中，喚不醒那麼多懷有小聰明的胡塗人，人們冷心腸相待，我卻以熱心腸相待。

原文 **自古及今，山之勝，多妙於天成，每壞於人造。**

譯文 古今的名山勝景，其絕妙之處大多在於天然生成，卻往往被人造的景觀所破壞。

原文 **畫家之妙，皆在運筆之先、運思之際；一經點染，便減機神。**

譯文 畫家的靈妙之處，全在下筆前的構思之時；此時如果有一點雜念，便無法將機神之處淋灕盡致地表現出來。

原文 **長於筆者，文章即如言語；長於舌者，言語即成文章。昔人謂「丹青乃無言之詩，詩句乃有言之畫」；余則欲丹青似詩，詩句無言，方許各臻妙境。**

譯文 擅長寫作的人，寫文章就像說話一樣；擅長說話的人，出口就能成章。古人認爲「畫是沒有吟詠的詩句，詩句是言說的畫境」；我卻以爲畫應當像吟詠的詩，詩應該像沒有言說的畫，這樣纔能各自都達到妙境。

原文 **舞蝶遊蜂，忙中之閑，閑中之忙；落花飛絮，景中之情，情中之景。**

譯文 蝴蝶款款飛，蜜蜂急急舞，它們在忙碌中有着閑情，在閑情中又顯得十分忙碌；花落了，柳絮也隨風飛揚，在這樣的景色中有着難言的情意，這難言的情意便隱藏在如此景色之中。

原文 **五夜雞鳴，喚起窗前明月；一覺睡醒，看破夢裏當年。**

譯文 五更天將亮時，雞啼聲將睡夢中的人喚醒，祇見一輪明月高掛在窗外；我由睡夢中醒來，醒悟到當年種種，就像夢幻一般消失無蹤。

原文 **想到非非想，茫然天際白雲；明至無無明，渾矣台中明月。**

譯文 處於沒有欲望，衹有思想的境地，就好像是茫茫宇宙間飄浮不定的白雲；達到大徹大悟、無生死妄識的境界，就好像是鏡中明月，已融爲一體。

原文 **逃暑深林，南風逗樹；脫帽露頂，沉李浮瓜；火宅炎宮，蓮**

花忽逆；較之陶潛臥北窗下，自稱義皇上人，此樂過半矣。

譯文 躲避酷暑來到深山樹林之中，南風撩面，挑逗着樹木；取下帽子露出頭頂，溪水中漂浮着瓜果；這種感覺就好像是在煩惱的世界中，突然看到佛境一樣；比起陶淵明臥在北窗之下，自稱爲伏羲氏這樣的上古哲人，我的樂趣已經超過他了。

原文 **霜飛空而漫霧，雁照月而猜弦。**

譯文 空中飛來秋霜就好像大霧彌漫，大雁在月光下飛翔就好像在猜度月亮的弦角。

原文 **景澄則巖岫開鏡，風生則芳樹流芬。**

譯文 風景清明，峰巒像明鏡一樣明澈，微風拂來，芳香就從樹上流淌開去。

原文 **類君子之有道，入暗室而不欺；同至人之無跡，懷明義以應時。**

譯文 像君子一樣有道義，在暗室中不欺詐；與至人一樣不留痕跡，心懷明義，應對時勢。

原文 **一翻一覆兮如掌，一死一生兮如輪。**

譯文 一翻一覆如同命運之手，一死一生如同生命之輪。

素

原文 **袁石公云：「長安風雪夜，古廟冷鋪中，乞兒丐僧，齁齁如雷吼；而白髭老貴人，擁錦下帷，求一合眼不得。」嗚呼！松間明月，檻外青山，未嘗拒人，而人人自拒者何哉？集素第五。**

譯文 袁宏道曾說：「在長安的風雪之夜，古老的寺廟、寒冷的店鋪中，乞丐僧人依然能夠睡得很香甜，發出很響的打鼾聲；而富貴之家的白胡子老頭，雖然有精美的錦繡棉被，有懸掛的床幃，卻不能小睡一會。」天啊！松林間的明月、柵欄外的青山並沒有將人拒之門外，人爲什麼要自尋煩惱，將自己拒於這樣的美景之外呢？於是編撰了第五卷《素》。

原文 **田園有真樂，不瀟灑終爲忙人；誦讀有真趣，不玩味終爲鄙夫；山水有真賞，不領會終爲漫遊；吟詠有真得，不解脫終爲套語。**

譯文 田園之中有眞正的樂趣，倘若不能瀟灑地釋懷世間之事，終究祇能是個庸碌之人；誦讀詩書之時有眞正的趣味，但是不會把玩欣賞的人，終究祇能是個粗鄙之夫；山水中有眞正可供欣賞的景致，若不能領會，終究祇能成爲漫遊；吟詠之中有眞正的收獲，不能從世俗煩惱中解脫，終究會落入俗套。

原文 **居處寄吾生，但得其地，不在高廣；衣服被吾體，但順其時，不在紈綺；飲食充吾腹，但適其可，不在膏粱；宴樂修吾好，但致其誠，不在浮靡。**

譯文 居住的處所是我的生命依託之處，祇求其舒適愜意，不必在乎屋舍院落是否高廣；衣服是用來遮蔽我的軀體的，祇要合乎季節氣候就行，不必在乎是否華麗漂亮；飲食是我用來充飢的，祇要合適就好，不在乎是否是美味佳肴；宴飲娛樂是爲了與我的朋友修好，祇要心誠就行，不必在乎是否浮華奢靡。

原文 **披卷有餘閑，留客坐殘良夜月；褰帷無別務，呼童耕破遠山雲。**

譯文 閱讀書卷有閑暇的時候就留客人一起在月夜中暢談；早晨撩開帷帳，沒有別的事的話，就呼喊童僕，在遠處白雲繚繞的山間耕田。

原文 **琴觴自對，鹿豕爲群；任彼世態之炎涼，從他人情之反復。**

譯文 獨自彈琴飲酒，與鹿豕爲伍；任憑世間炎涼，隨便人情之反復無常，都不加理會。

原文 **家居苦事物之擾，惟田舍園亭，別是一番活計；焚香煮茗，把酒吟詩，不許胸中生冰炭。客寓多風雨之懷，獨禪林道院，轉添幾種生機；染翰揮毫，翻經問偈，肯教眼底逐風塵？**

譯文 居住在家中就會苦於世間事物的困擾，衹有田舍園亭，生活於其中別是一番滋味；焚燒名香，烹煮清茶，把酒吟詩，心中就不會生出如同冰炭一樣的世間炎涼。客居於外常常會有爲世間風雨所觸動的憂思情懷，惟有禪林道院，反而增添了幾分生機；揮筆潑墨，翻閱經書，探問偈語，哪裏會讓眼睛去追逐世間的風塵？

原文 **茅齋獨坐茶頻煮，七盌後，氣爽神清；竹榻斜眠書漫抛，一枕餘，心閑夢穩。**

譯文 在茅屋中獨自靜坐，茶爐上頻頻地煮着香茗，喝了七盞茶之後，自然會感覺神清氣爽；躺在竹榻上蜷縮着側卧而眠，手中的書散亂地抛在旁邊，一枕美夢之後，心情閑適，夢境安穩。

原文 **帶雨有時種竹，關門無事鋤花；拈筆閑刪舊句，汲泉幾試新茶。**

譯文 有時間的話在小雨中栽種竹子，關上門沒事的時候就給花鋤草；閑暇的時候拿起筆刪改幾句原來的詩句，汲來清泉，烹煮調製新茶。

原文 **余嘗淨一室，置一几，陳幾種快意書，放一本舊法帖；古鼎焚香，素麈揮塵，意思小倦，暫休竹榻。餉時而起，則啜苦茗，信手寫漢書幾行，隨意觀古畫數幅。心目間，覺灑灑靈空，面上俗塵，當亦撲去三寸。**

譯文 我曾經打掃一間乾凈的房子，放置一個几案，擺上幾本讓我心情愉悅的書，再放上一本舊書帖；用古代的鼎焚燒茗香，用素白的麈尾拂去灰塵，稍稍有些疲倦的時候，就暫時躺在竹榻上休息。休息一會之後起來，喝點略帶苦味的茶，信手寫幾行漢隸書法，隨意地觀賞幾幅古畫。心中、眼前都會覺得十分空靈灑脫，臉上的俗世灰塵，也好像被拂去了三寸。

原文 **但看花開落，不言人是非。**

譯文 衹靜靜地觀賞花開花落，不談論人間是是非非。

原文 **莫戀浮名，夢幻泡影有限；且尋樂事，風花雪月無窮。**

〔譯文〕不要貪戀虛名，它就好像是夢幻泡影，時間有限；暫且尋找一些樂事，風花雪月的美景含有無窮樂趣。

〔原文〕**白雲在天，明月在地；焚香煮茗，閱偈翻經；俗念都捐，塵心頓洗。**

〔譯文〕白雲飄浮在空中，明月映照在地上；焚燒熏香，烹煮茗茶，翻閱經書；俗世間的雜念全都忘卻了，塵世的私心都消失了。

〔原文〕**暑中嘗嘿坐，澄心閉目，作水觀久之，覺肌發灑灑，心閣間似有爽氣。**

〔譯文〕暑天嘗試默坐，澄淨心境，閉上雙眼，長時間水觀入定，就會覺得渾身寒冷，心間也有涼爽之氣。

〔原文〕**胸中祇擺脫一「戀」字，便十分爽淨，十分自在；人生最苦處，祇是此心，沾泥帶水，明是知得，不能割斷耳。**

〔譯文〕祇要心中擺脫了一個「戀」字，就覺得十分爽快、清淨，十分自在；人生最苦的地方，惟有此心，沾泥帶水，心中明白清楚，卻不能割斷罷了。

〔原文〕**無事以當貴，早寢以當富，安步以當車，晚食以當肉；此巧於處貧矣。**

〔譯文〕把無事做當作貴，把早睡當作富，把緩慢步行當作坐車，把吃飯晚當作吃肉；這是身處貧寒的巧妙之處。

〔原文〕**三月茶筍初肥，梅風未困；九月蓴鱸正美，秫酒新香；勝友晴窗，出古人法書名畫，焚香評賞，無過此時。**

〔譯文〕三月的時候剛剛長出嫩綠的茶葉，竹筍剛剛長肥，梅雨季節的風還沒有困倦；九月蓴菜、鱸魚正鮮美，新釀的高粱酒正飄香；在晴朗的天氣邀請幾位好友在小窗之下，拿出古人有名的字畫，點上名香，一同評論欣賞，沒有什麼時候能比此時更快樂的了。

〔原文〕**高枕丘中，逃名世外，耕稼以輸王稅，採樵以奉親顏；新穀既升，田家大洽，肥羜烹以享神，枯魚燔而召友，蓑笠在戶，桔槔空懸，濁酒相命，擊缶長歌，野人之樂足矣。**

〔譯文〕在丘壑之中高枕無憂，在塵世之外逃避虛名，耕種稼穡以繳納國家的稅收，打柴以侍奉親人；新穀成熟入倉的時候，農家就會十分融洽快樂，用肥嫩的羊羔祭神，用烤製的乾魚片來招待朋友；蓑衣與笠帽掛在屋裏，桔槔空懸着，在農閑之時，痛飲濁酒，擊缶長歌，山野之人的樂趣十足。

原文 **爲市井草莽之臣，早輸國課；作泉石煙霞之主，日遠俗情。**

譯文 身爲市井草莽之中的人臣，應該早早繳納國稅；身爲幽居在泉石煙霞中的人，就要日益遠離俗世之情。

原文 **春初玉樹參差，冰花錯落，瓊台奇望，恍坐玄圃羅浮；若非黄昏月下，攜琴吟賞，杯酒留連，則暗香浮動，疏影橫斜之趣，何能真實際？**

譯文 初春的時候，被積雪覆蓋的樹木參差不齊，冰花錯落有致，在被白雪裝砌的高臺上遠望，恍惚間就好像坐在仙人謫居的玄圃和羅浮山中一樣；黄昏時分明月高照，攜帶着琴吟詩賞月，美酒連飲，那種暗香浮動、疏影橫斜的情趣，怎樣纔能真的實現呢？

原文 **性不堪虛，天淵亦受鳶魚之擾；心能會境，風塵還結煙霞之娛。**

譯文 倘若性情不能忍受清虛，即使在藍天深淵也會受到鳶鳥和魚的干擾；倘若心能夠與境相吻合，即使風中的塵土也能見識煙霞的快樂。

原文 **身外有身，捉麈尾矢口閑談，真如畫餅；竅中有竅，向蒲團回心究竟，方是力田。**

譯文 身外有身，手裏拿着麈尾卻閉口或衹是閑談，那就真的好像是畫餅充飢一樣；竅中有竅，回心向佛冥思靜想，參悟佛法之究竟，這纔是真功夫。

原文 **山中有三樂。薜荔可衣，不羨繡裳；蕨薇可食，不貪粱肉；箕踞散髮，可以逍遙。**

譯文 山中有三種樂趣。薜荔可以做麻衣，不用羨慕別人刺繡的衣裳；蕨菜、薇菜可以吃，不必貪戀粱肉佳肴；肆意地叉開雙腿前伸而坐，披散着頭髮，可以十分逍遙，不受拘束。

原文 **終南當戶，雞峰如碧筍左簇。退食時秀色紛紛墮盤，山泉繞窗入廚，孤枕夢回，驚聞雨聲也。**

譯文 門前正對着終南山，雞峰就像碧綠的竹筍一樣在左邊簇擁着。歸隱時覺得秀美的景色好像紛紛落入到我的飯盤中一樣，秀色可餐，清澈的山泉從窗下繞過，從廚房邊經過，很方便使用；夜晚孤獨地從夢中醒來，吃驚地發現窗外傳來淅淅瀝瀝的雨聲。

原文 世上有一種癡人，所食閑茶冷飯，何名高致？

譯文 世間有一種癡人，做事總是跟在別人後面，吃的都是閑茶冷飯，如何能稱得上志趣高雅呢？

原文 桑林麥隴，高下競秀；風搖碧浪層層，雨過綠雲繞繞。雉雊春陽，鳩呼朝雨，竹籬茅舍，間以紅桃白李，燕紫鶯黃，寓目色相，自多村家閑逸之想，令人便忘豔俗。

譯文 桑樹林，小麥隴，雖有高下之別，卻竟呈清秀之色；暖風吹拂着桑樹、麥苗，掀起層層碧浪，雨過之後，遠觀好像是碧綠的雲彩。野雞在春天溫暖的陽光下啼叫，斑鳩在清晨的雨中驚呼，竹籬笆和茅草屋之間點綴着粉紅的桃花、雪白的梨花，還配有紫燕黃鶯的啼叫聲，呈現在眼中的景色，帶有很多農家閑適生活的特色，使人忘記了艷俗的城市生活。

原文 雲生滿谷，月照長空，洗足收衣，正是宴安時節。

譯文 白雲籠罩着山谷，月亮在天空照耀着，洗洗腳，收拾好衣服，這正是安逸享樂的時節。

原文 眉公居山中，有客問山中何景最奇，曰：「雨後露前，花朝雪夜。」又問何事最奇，曰：「釣因鶴守，果遣猿收。」

譯文 眉公隱居在山中，有客人問山中什麼景色最奇，回答說：「雨天後，露水前，早上的鮮花，夜裏的雪。」又問什麼事最奇，回答說：「依賴仙鶴看守垂釣，派遣猿猴收穫果實。」

原文 古今我愛陶元亮，鄉里人稱馬少遊。

譯文 從古至今我最喜歡陶元亮，在鄉里被稱爲善人。

原文 嗜酒好睡，往往閉門；俯仰進趨，隨意所在。

譯文 嗜好美酒，喜歡睡覺，家中往往關閉着門；俯還是仰，進還是退，一切都隨心所欲。

原文 霜水澄定，凡懸崖峭壁，古木垂蘿，與片雲纖月，一山映在波中，策杖臨之，心境俱清絕。

譯文 秋霜季節的水十分澄靜，周圍全是懸崖峭壁，古老的樹木，垂下的藤蘿，還有天空的白雲、新月，山中所有的景色都倒映在了這水波之中，拄着拐杖親臨其境，心靈和環境都清爽無比。

原文　**親不抬飯，雖大賓不宰牲，匪直戒奢侈而可久，亦將免煩勞以安身。**

譯文　親人來了也不提高飯菜的檔次，即使是地位高的賓客也不宰殺牲畜，不衹可以戒除奢侈，長久地保持節儉，還可以免除煩惱，得以安身。

原文　**飢生陽火煉陰精，食飽傷神氣不昇。**

譯文　飢餓可以生發陽火，鑄煉內在的元氣；飽食傷神，元氣不昇。

原文　**心苟無事，則息自調；念苟無欲，則中自守。**

譯文　心中倘若無事，氣息便可自行調節；心念倘若沒有欲望，內心便可自行堅守。

原文　**文章之妙：語快令人舞，語悲令人泣，語幽令人冷，語憐令人惜，語險令人危，語慎令人密，語怒令人按劍，語激令人投筆，語高令人入雲，語低令人下石。**

譯文　文章的精妙功用在於：言語歡快可以使人起舞，言語悲傷可以使人哭泣，言語幽靜可以使人涼爽，言語可憐能夠使人憐惜，言語險能夠使人感覺到危機，言語謹慎可以讓人感覺到嚴密，言語中帶有怒氣可以使人想

拄杖行吟

要拔劍，言語激烈可以使人投筆奮起，言語高亢可以使人如同入雲一樣，言語低沉可以使人如胸壓大石。

原文 **溪響松聲，清聽自遠；竹冠蘭佩，物色俱閑。**

譯文 小溪的潺潺流水聲，松林的颯颯松濤聲，環境清靜，自然在很遠的地方也能夠聽到；頭戴竹子編就的帽子，身帶蘭草做成的佩飾，物品、人的神色都很安閑。

原文 **鄙吝一銷，白雲亦可贈客；渣滓盡化，明月自來照人。**

譯文 吝嗇之心一消，即使是白雲也可以贈予客人；雜念一除，明月自然會照映着你。

原文 **存心有意無意之間，微雲淡河漢；應世不即不離之法，疏雨滴梧桐。**

譯文 存心於有意無意之間，就好像少許的雲彩飄在銀河中；處世要遵從保持不遠不近、不近不離的法則，就好像稀疏的雨點打在梧桐葉上。

原文 **肝膽相照，欲與天下共分秋月；意氣相許，欲與天下共坐春風。**

譯文 欲與天下間肝膽相照的朋友共分秋月；欲與天下間意氣相投的朋友共坐春風。

原文 **堂中設木榻四，素屏二，古琴一張，儒道佛書各數卷。樂天既來爲主，仰觀山，俯聽水，傍睨竹樹雲石，自辰及酉，應接不暇。俄而物誘氣和，外適內舒，一宿體寧，再宿心恬，三宿後，頹然嗒然，不知其然而然。**

譯文 廳堂中設有四張木榻，兩個白色的屏風，一架古琴，幾卷儒釋道經書。白樂天成爲這裏的主人之後，抬頭望山，俯首聽水，環顧四周領略竹林、白雲、幽石這些美景，從早晨到晚上，應接不暇。不久心靈就被美景所感染，心氣平和，外在環境閑適內在心靈舒暢，住上一夜就感覺身體舒適安寧，住兩宿則心靈恬靜，住上三宿之後，那種感覺無法用語言來表達，達到了物我兩忘的境界。

原文 **偶坐蒲團，紙窗上月光漸滿，樹影參差，所見非色非空，此時雖名衲敲門，山童且勿報也。**

譯文 偶爾坐在蒲團上打坐，紙窗外逐漸灑滿月光，樹影映在窗上參差錯落，所看到的這些已不是事物本身，也不是虛像，達到了非空非色的佛境，這時即使是名僧敲門，山童暫時也不要稟報。

原文 **會心處不必在遠。翳然林水，便自有濠濮間想也。覺鳥獸禽魚，自來親人。**

譯文 能夠與之交心的地方不必在乎有多遠。衹要有濃密的樹木碧綠的水，就自然會生發出一種閑適逍遙之感。不知不覺中鳥獸禽魚自然會前來與人親近。

原文 **茶欲白，墨欲黑；茶欲重，墨欲輕；茶欲新，墨欲陳。**

譯文 茶越白越好，墨越黑越好；茶越厚重越好，墨越輕巧越好；茶越新鮮越好，墨越陳舊越好。

原文 **馥噴五木之香，色冷冰蠶之錦。**

譯文 濃郁的香氣噴發，就像五木香的味道一樣；顏色冰冷，如同冰蠶之錦給人的感覺一樣。

原文 **築鳳臺以思避，構仙閣而入圓。**

譯文 搭建鳳凰臺，以招引鳳凰，飛天成仙，躲避塵世，建築仙閣以便昇天。

原文 **客過草堂問：「何感慨而甘棲遁？」余倦於對，但拈古句答曰：「得閑多事外，知足少年中。」問：「是何功課？」曰：「種花春掃雪，看籙夜焚香。」問：「是何利養？」曰：「硯田無惡歲，酒國有長春。」問：「是何還往？」曰：「有客來相訪，通名是伏羲。」**

譯文 客人經過草堂問：「什麼感慨讓你甘願棲息隱退？」我十分厭倦回答，衹用古人的話來應付：「得到空閑，能多置身於世外，在青壯年就得以知足常樂。」問：「平日做什麼消遣時日？」回答：「種花，掃雪，看籙，焚香。」問：「靠什麼來養育身心呢？」回答：「書畫中沒有惡歲，酒國中春光常在。」問：「和什麼人互相來往？」回答：「恍惚間有客人來訪，通報姓名說他是伏羲。」

原文 **山居勝於城市，蓋有八德：不責苛禮，不見生客，不混酒肉，不競田產，不聞炎涼，不鬧曲直，不徵文逋，不談士籍。**

譯文 居住在山林之中勝過居住在城市中，大概有八個方面的美德：不要求煩瑣的禮節，不見陌生的客人，不混跡在酒肉朋友之間，不在田產上競爭，不聽聞世態炎涼，不參與是非曲直，不再徵補逃亡的範圍內，不談科舉。

原文 **採茶欲精，藏茶欲燥，烹茶欲潔。**

譯文 採茶的時候越精細越好，儲藏茶葉的地方越乾燥越好，烹煮茶葉越潔淨越好。

原文 **茶見日而味奪，墨見日而色灰。**

譯文 茶經過太陽的曝曬，味道就會消減，墨經過太陽的曝曬，顏色就會變得發灰。

原文 **磨墨如病兒，把筆如壯夫。**

譯文 磨墨要像生病的孩子一樣不要用勁兒而要輕緩，拿筆書寫的時候應該像壯夫一樣飽含力量。

原文 **園中不能辨奇花異石，惟一片樹陰，半庭蘚跡，差可會心忘形。友來或促膝劇論，或鼓掌歡笑，或彼談我聽，或彼默我喧，而賓主兩忘。**

譯文 園中不必有罕見的花草、奇異的石頭，衹要有一片樹蔭，半院的苔

蘚，就可以使人心領神會、放縱忘情了。朋友前來促膝相談、激烈地爭論，或者鼓掌歡笑，或者朋友談論我傾聽，或者朋友沉默我喧鬧，賓主雙方都達到了物我兩忘的境界。

原文 **簷前綠蕉黃葵，老少葉，雞冠花，佈滿階砌。移榻對之，或枕石高眠，或捉塵清話。門外車馬之塵滾滾，了不相關。**

譯文 屋簷前栽種着綠色的芭蕉樹、黃色的向日葵，老少葉、雞冠花佈滿了臺階石砌。移來竹榻與之相對，或者枕着石頭睡覺，或者一邊拂去灰塵一邊清談。門外車馬奔馳蕩起滾滾煙塵，都與我一點也不相關。

原文 **夜寒坐小室中，擁爐閑話。渴則敲冰煮茗，飢則撥火煨芋。**

譯文 在寒冷的夜晚坐在小屋中，圍着火爐閑談。渴了就敲打些冰塊煮茶，餓了就撥開炭火烤山芋。

原文 **阿衡五就，那如莘野躬耕？諸葛七擒，爭似南陽抱膝？**

譯文 伊尹被恭請了五次最後出任官職，輔佐賢主安邦治國，但是這怎麼能夠和隱居山間親自在有莘之野耕田的樂趣相比呢？諸葛亮七擒孟獲，爲蜀國鞠躬盡瘁，但是這怎麼能和隱居南陽抱膝長嘯的閑適生活相比呢？

原文 **飯後黑甜，日中薄醉，別是洞天；茶鐺酒臼，輕案繩床，尋常福地。**

譯文 吃完飯後酣睡，白日裏喝酒微醉，這種生活別有一番洞天；茶鍋酒臼，輕巧的案几、繩床，就是平常的仙居福地。

原文 **翠竹碧梧，高僧對弈；蒼苔紅葉，童子煎茶。**

譯文 青翠的竹子、碧綠的梧桐間，高僧在下棋對弈；蒼翠的苔蘚、紅葉樹下，童子在煎茶。

原文 **久坐神疲，焚香仰臥；偶得佳句，即令毛穎君就枕掌記，不則展轉失去。**

譯文 坐的時間長了就會精神疲憊，焚上名香，仰卧在床；偶然間覓得佳句，隨即用毛筆寫下，否則輾轉睡着之後就忘記了。

原文 **和雪嚼梅花，羨道人之鐵腳；燒丹染香履，稱先生之醉吟。**

譯文 配着雪咀嚼梅花，非常羨慕鐵腳道人；燃燒朱砂熏染香履，稱贊醉吟先生。

原文 **燈下玩花，簾內看月，雨後觀景，醉裏題詩，夢中聞書聲，皆有別趣。**

譯文 在燈下賞花，在簾內望月，在雨後觀覽景物，在醉酒時題寫詩句，在睡夢中聽到讀書聲，都別有一番情趣。

原文 **王思遠掃客坐留，不若杜門；孫仲益浮白俗談，足當洗耳。**

譯文 王思遠在客人走後打掃清潔客人坐過的地方，還不如閉門不接待賓客呢；孫仲益嗜好喝酒，談吐粗俗，聽過之後實在應該洗一下耳朵。

原文 **鐵笛吹殘，長嘯數聲，空山答響；胡麻飯罷，高眠一覺，茂樹屯陰。**

譯文 鐵笛吹過，對天長嘯幾聲，空山傳來回聲；吃完胡麻飯，美美地睡上一覺，繁茂的樹木留下一片樹蔭。

原文 **編茅爲屋，疊石爲階，何處風塵可到？據梧而吟，烹茶而語，此中幽興偏長。**

譯文 用茅草編搭成小屋，用石頭重疊壘砌起臺階，哪裏的風塵能夠飄到這裏？靠着梧桐樹吟詩，一邊烹煮清茶一邊清談，這裏面的幽趣頗長。

原文 **皂囊白簡，被人描盡半生；黃帽青鞋，任我逍遙一世。**

譯文 官場中常常會被別人的密奏參劾，半生心血也付之東流；頭戴黃帽、腳穿青鞋的平民生活，可以讓我縱情逍遙一生。

原文 **清閑之人不可惰其四肢，又須以閑人做閑事：臨古人帖，溫昔年書；拂几微塵，洗硯宿墨；灌園中花，掃林中葉。覺體少倦，放身匡床上，暫息半晌可也。**

譯文 清閑的人不能讓自己的四肢懶惰了，必須以清閑人的心態做一些清閑之事：描摹一下古人的字帖，溫習一下以往的書籍；擦拭一下案几上的灰塵，清洗一下硯臺殘留的墨跡；在園中澆灌一下花草，打掃一下樹林中的落葉。覺得身體稍稍有些疲倦了，就舒適愜意地躺在床上，暫時休息半晌也可以。

原文 **待客當潔不當侈，無論不能繼，亦非所以惜福。**

譯文 招待客人應該講求清潔，不需要奢侈，不管生活能夠維持多久，奢侈都不是珍惜福氣的表現。

原文 **葆真莫如少思，寡過莫如省事；善應莫如收心，解醪莫如淡志。**

譯文 想要永葆天真的本性，沒有什麼比少思考更好的辦法了，要想少犯錯誤，沒有什麼比反省更好的辦法了；想要善於應對世事，沒有什麼比收攝雜念更好的辦法了，想要解除醉酒的煩惱沒有什麼比淡泊明志更好的辦法了。

原文 **世味濃，不求忙而忙自至；世味淡，不偷閑而閑自來。**

譯文 世情濃，不求繁忙，繁忙也會自來；世情淡，不想偷閑，閑適也會自來。

原文 **盤餐一菜，永絕腥膻，飯僧宴客，何煩六甲行廚；茆屋三楹，僅蔽風雨，掃地焚香，安用數童縛帚？**

譯文 祇有一盤菜，永遠沒有葷腥，招待僧人、賓客，不須動用煙火做飯；祇有三間茅屋，僅能遮蔽風雨，掃地焚香，做這些事哪裏用得着請幾個僕童呢？

原文 **以儉勝貧，貧忘；以施代侈，侈化；以省去累，累消；以逆煉心，心定。**

譯文 用儉省戰勝貧困，自然會忘記貧窮之感；用施捨代替奢侈，自然就會消解奢侈；以省事代替勞累，自然會消除勞累；用逆境來修煉身心，自然會堅定心志。

原文 **淨几明窗，一軸畫，一囊琴，一隻鶴，一甌茶，一爐香，一部法帖；小園幽徑，幾叢花，幾群鳥，幾區亭，幾拳石，幾池水，幾片閑雲。**

譯文 乾淨的案几，明亮的窗戶，一幅畫，一架琴，一隻仙鶴，一杯茶，一爐香，一本書法字帖；小小的園子，幽靜的小徑，幾叢花，幾群鳥，幾座小亭，幾塊奇石，幾池碧水，幾片閑雲。

原文 **花前無燭，松葉堪燃；石畔欲眠，琴囊可枕。**

譯文 倘若花前沒有蠟燭，松葉也可以燃燒；假若想要在石畔睡覺，琴囊也可當枕頭。

原文 **流年不復記，但見花開爲春，花落爲秋；終歲無所營，惟知日出而作，日入而息。**

譯文 隱居於山中已經記不清時間的流逝，衹知道花開之時爲春天，花落之時爲秋天；整年也沒什麽營生，衹知道日出而作，日落而息。

原文 **脫巾露項，斑文竹籜之冠；倚枕焚香，半臂華山之服。**

譯文 去掉頭巾，露出脖子，滿頭青絲，好像是戴有條紋的竹皮做成的帽子；靠着枕頭焚燒着檀香，閉目養神，感覺好像自己身上穿的是道人的衣服。

原文 **穀雨前後，爲和凝湯社，雙井白茅，湖州紫筍，掃臼滌鐺，徵泉選火。以王濛爲品司，盧仝爲執權，李贊皇爲博士，陸鴻漸爲都統。聊消渴吻，敢諱水淫，差取嬰湯，以供茗戰。**

譯文 穀雨前後正是剛剛採摘新茶的時候，像和凝一樣舉行茶會，品評雙井白茅、湖州紫筍這樣的茶中極品，打掃乾淨杵臼，洗滌好茶鐺，汲取好的泉水，掌握好火候。以王濛爲品司，盧仝爲執權，李贊皇爲博士，陸鴻漸爲都統。暫且以茶解渴，避諱不談水厄，取出茶水初沸時的嫩湯，以供鬥茶。

原文 **窗前落月，戶外垂蘿；石畔草根，橋頭樹影；可立可臥，可坐可吟。**

譯文 窗前月光灑落，門外垂下藤蘿；石頭邊草根蔓延，橋頭上一片樹影；面對這樣的美景可以站立也可以躺卧，可以靜坐也可以吟詩。